Nuits scientifiques en périphérie galactique

Conte d'un physicien de petites merveilles
dans cet univers plein de beauté et de mystère
by Takuju Zen

Published by Asahi Press Inc.
3-3-5 Nishi-Kanda, Chiyoda-ku, Tokyo, Japan. 101-0065

Printed in Japan

銀河の片隅で科学夜話

全卓樹

朝日出版社

われわれが生きるのはただ美を発見するがためであり、
他のすべては一種の待機である。

――ハリル・ジブラン

はじめに

科学に触れず現代を生きるのは、まるで豊穣《ほうじょう》な海に面した港町を旅して、魚を食べずに帰るようなものである。科学はしかし秘密の花園である。方程式と専門用語の壁に囲まれて、通りすがりには容易に魅力を明かさない。花園の壁に覗《のぞ》き窓をつけることは、それゆえわれわれ科学者の責務であろう。

特にテーマを決めず、科学の面白さの核心を伝える本を書いてみたい。そんな考えを、偶然知り合った出版社の人に話したら、科学エッセイは売れないから、と言下に断られた。代わりに筆者の本業である量子力学を、数式を使わずに解説する本を出してもらった。

その解説本がたまたま朝日出版社編集者の目に止まって、あまり科学者的でない私の文体を、もう少し柔《やわ》らかくして書けば、科学エッセイでも出版可能かもしれないと言われた。そしてウェブ上でのテストを経て、この本が出来上がってきたというわけである。

おそらくはもう少し、テーマのきちんと絞《しぼ》られたものが期待されていたのかもしれない。出来上がったのは、なんと呼べばよいのか不明な、一種の「科学奇譚《きたん》集」になった。実は筆者自身は、当初の考えが曲折《きょくせつ》を経て実現したものとして、これに至極《しごく》満足している。自由な思考こそは科学の発展の原動力なのだから。

現代科学の様々な分野の成果、そしてそれをめぐる人間の物語のうちで、筆者の興味を引いた話がここに集まっている。宇宙の話、原子世界の話、人間社会の話、倫理の話、生命の話と大くくりに五つに分けられた。多くは最近の研究であるが、中には300年以上前の発見もある。いずれも一般にあまり流通していない話題なので、読者諸氏にもきっと新発見があるだろう。

各章はそれぞれ独立した話で、15分から20分で読める長さである。夜話《やわ》と名乗ってはいるが、朝の通勤電車で、昼休みのひとときに、ゆうべの徒然《つれづれ》の時間に、順序にこだわらず一編ずつ楽しんでいただければと思う。

文を読むことは、往々にして人を疲弊《ひへい》させ憂鬱《ゆううつ》にする。ネット上に書き散らされた短文が溢《あふ》れる昨今《さっこん》はなおさらである。精妙《せいみょう》な科学の鏡面に映った神秘的で晴朗《せいろう》な世界空間の姿が、そのような憂《うれ》いから読者諸氏を解き放つ手助けになればと考えている。

この本が世に出るにあたっては、前述の通りの事情から、まずは編集者の大槻美和氏に感謝したい。彼女にはたくさんのぴったりした挿絵も選んでいただいた。大学の同僚で、わが人生の師でもある久須美雅昭《くすみまさあき》氏には、一編ごと出来次第、丁寧に読んでいただき有益なコメントをいただいた。感謝の言葉もない。そして執筆中に家の中を不機嫌な顔でうろつく不便を、黙って耐えてくれた妻、由美には、特別な感謝を捧《ささ》げたい。

目次

数理社会編

倫理編

生命編

＊第4、5、8、18、21夜は書き下ろし。ほかはウェブマガジン「あさひてらす」、「第二編集部ブログ」掲載（2017年11月〜2019年9月）。

天空編

自我系の暗礁めぐる銀河の魚。
コペルニカス以前の泥の拡がり……
睡眠の内《うち》側《がは》で泥炭層が燃え始める。
——吉田一穂《いっすい》「泥」

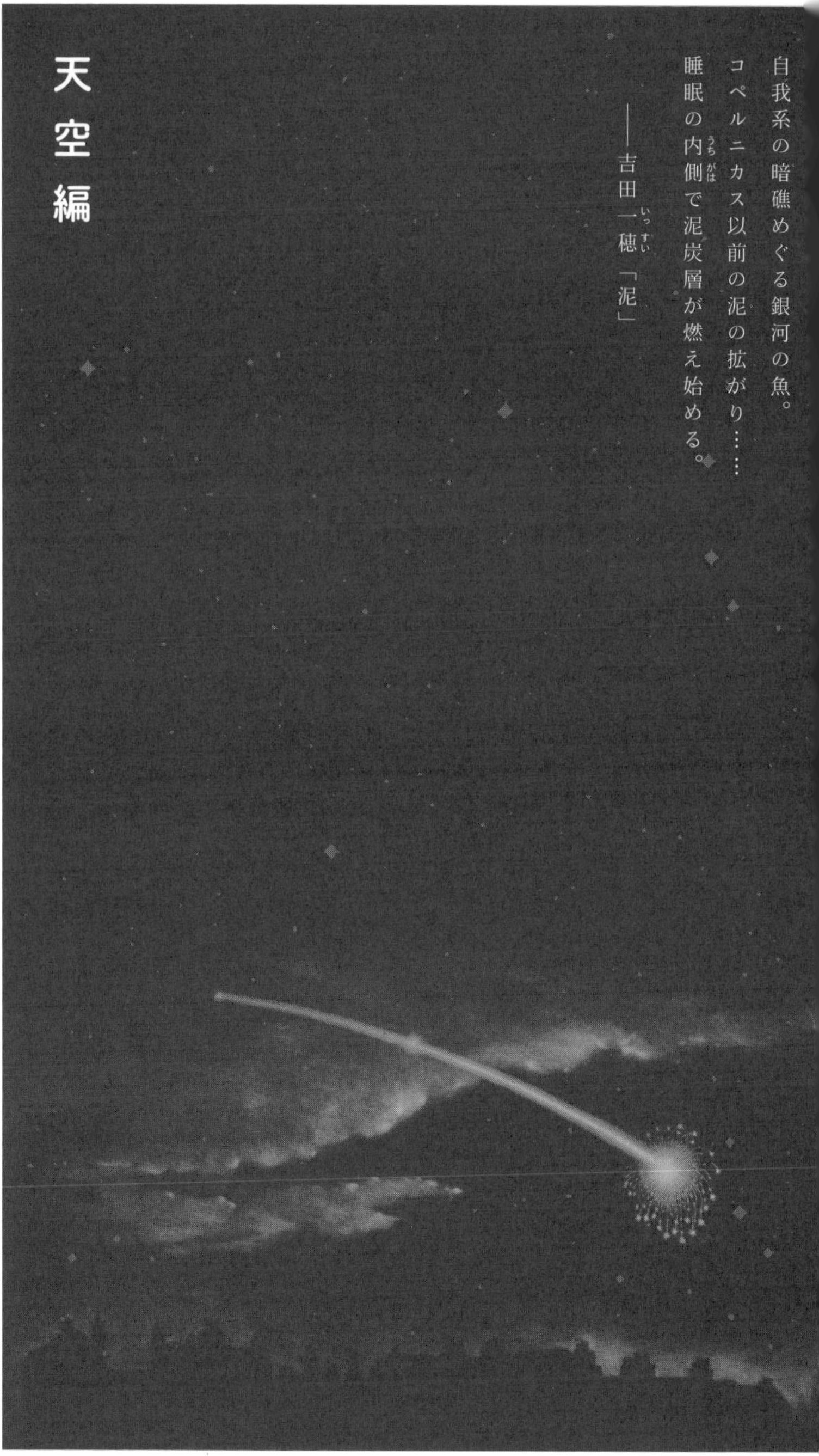

＊＊＊＊＊＊
第1夜
＊＊＊＊＊＊

海辺の永遠

海辺に佇《たたず》んで、寄せては返す波の響きを聴いていると、「永遠」という言葉が心に浮かぶ。

死と静止はおそらくは永遠の安らぎではない。死してのちも万物が色褪《いろあ》せ崩れゆき、世界が無慈悲に年老いていくことを、熱力学の第二法則は命ずるのだ。永遠の喩《たと》えとされるダイヤモンドの輝きも、決して永遠ではない。天然ダイヤモンドは、30億年前の超高温高圧のマグマの中で作られて以来、再び作り出されることはなく、何十億年ののちすべて灰として散っていくことだろう。

むしろ絶《た》えず巡《めぐ》りきて繰り返すもの、周回し回帰《かいき》するものの中にこそ、永遠はあるのではないか。満ち潮引き潮の繰り返し、太古《たいこ》から変わることなく同じリズムを刻《きざ》む昼と夜の交代や月の満ち欠け、そのような永劫《えいごう》に回帰する運動の中にこそ、永遠が見出されるはずである。

しかし実は、日々の太陽の巡りや月の満ち欠け、満ち潮と引き潮のリズムも、決して不変ではない。何億年という時間のスケールで見ると、一日の長ささえ変わっていくのである。

一日の長さは一年に0・000017秒ずつ伸びている。これは月が毎日満ち潮引き潮を引き起こすとき、海水と海底との間の摩擦《まさつ》が、地球の回転をごく微弱に減速させるからである。その反作用で月は角運動量を得て、一年に3・8㎝ずつ地球から遠ざかることになる。それにともなって一月《ひとつき》の長さも少しずつ伸びていく。

珊瑚《さんご》の表面には日々の潮の満ち引きが文様《もんよう》となって刻《きざ》まれている。文様の季節ごとに異なる濃淡と合わせてみることで、一年に日の数だけ、365の筋《すじ》が見られるのである。ところが考古学者のスクラットンが、3億5千万年前のオーストラリアの珊瑚をしらべて、そこには一年に385ほどの筋が刻まれていることを発見した。つまりその時代の地球では、一年は385日であり、それから勘定《かんじょう》すると当時の一日が、23

時間弱の長さしかなかったとわかるのである。同様なデータの蓄積から、6億年前の一日は22時間ほど、9億年前だと20時間ほどだったと推定されている。

天文学者の計算では、500億年ののち、一日の長さは今の45日ほどになり、それはそのときの一月《ひとつき》の長さと揃《そろ》ってしまうという。月がすでにそうであるように、地球もいつも同じ面を月に向けるようになり、地上には常に月が見える国、決して見えない国ができるであろう。地球からずっと遠ざかった月は太陽よりずっと小さく見え、もはや地上では皆既日食《かいきにっしょく》を見ることもない。どの海辺にいこうとも、決して潮の満ち引きは見られないだろう。

しかしながら恐らくは、その寂《さび》しい光景を、われわれの子孫が目にすることはないだろう。その遠い将来の来るはるか以前に、赤色巨星となった太陽が、月も地球も呑《の》み込んで焼き尽くしてしまっているだろうから。

われわれの世界には永劫の回帰は存在せず、それゆえ永遠も存在しないかのようである。

＊

第 1 夜
海辺の永遠

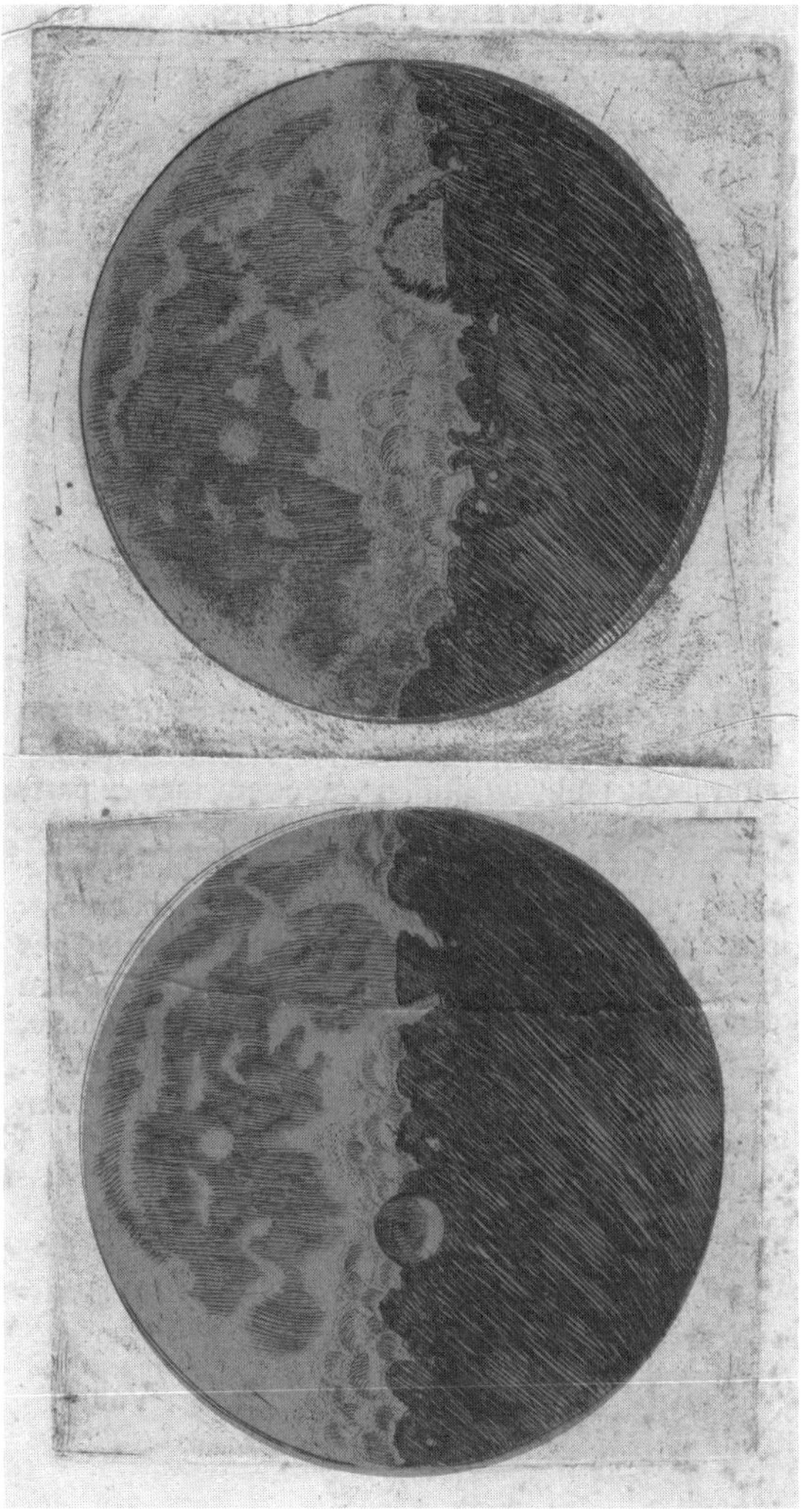

「永劫回帰《えいごうかいき》」を唱《とな》えたのは、よく知られるように、19世紀末を生きたドイツの哲学者ニーチェであった。彼の著書を紐解《ひもと》き、文学的修辞《しゅうじ》に満ちた難解な教説を読み解くと、そこには大略《たいりゃく》次のようなことが書かれている。

世は変転の末巡り巡って、かつての光景がほぼ繰り返されるが、回帰を為《な》すか為さぬかを決めるのは、われわれの意志である。超人とは前世のすべてを肯定し、意志によって世界に永劫回帰をもたらすものである。精神の韻律《いんりつ》と肉体の脈動《みゃくどう》、生命の死と再生の律動《りつどう》とは、決して現実には存在しえない永劫回帰の理念を、この世界に招来《しょうらい》しようとする意志の作用にほかならない。

ニーチェの見た「永遠」が、病魔に侵《おか》された幻影なのか、それとも世界の実相なのか、それは不明である。しかしながらわれわれの意志に基づく日々の繰り返し、日の出前の漁港の賑《にぎ》わい、大都市の朝ごとの満員の通勤電車、刻々《こくこく》と変わる信号機の色に応じて四辻《よつじ》に溢《あふ》れ出す人と車の波、夕餉《ゆうげ》時のテレビニュースの開始を告げる変わらないキャスターの声音、そういった人の世の止むことのない律動こそが、われわれの世界に意味を与え、その存続を支えているのは紛《まぎ》れもない事実であろう。

永劫回帰、そして永遠を予感させる何かが、もしこの世にあるならば、それはニーチェの語った通り、滅《ほろ》びをのがれ再生を欲する生命の意志であろう。

世界が在《あ》るためには、世界が在ることを確証するには、世界の進行を見守る認知主体が必要である。おそらく永遠は、海の波の律動そのものでなく、その律動に無限の回帰を感じとる、われわれの意識の中にしか見つからないだろう。生誕、成長、生殖、死の限りないサイクルの一瞬一瞬、生命の意識のあらゆる瞬間にこそ、永遠は宿るに違いない。

＊＊＊＊＊＊
第2夜
＊＊＊＊＊＊

流星群の夜に

流れ星はどこから来たのだろうか。

流星に願いを託《たく》す習《なら》わしは、昔から世界中に広く行き渡っている。予告なく現れて、一瞬の光芒《こうぼう》とともに消え去る流星は、天界から遣《つか》わされた僥倖《ぎょうこう》の使者のように思えるからだろう。

流れ星は天の星が落ちてきたもの、というわれわれの素朴な推論は、古代の学術界では否定されていた。アリストテレスの著作には、流星は大気圏内の現象であって天界とは無関係、と書き残されているのである。

しかしこの場合は、学者たちの説よりも素朴な理解のほうが、真実に近かったことになる。現代の天文学によると、流星の正体は、彗星《すいせい》や小惑星《しょうわくせい》がその軌道《きどう》上に撒《ま》き散らす、直径10㎝ほどの岩石や氷の欠片《かけら》である。これが地球の重力に捕らわれて、大気中を燃えながら落ちていくのが流星なのである。地球が彗星や小惑星の軌道上にある欠片の多い場所を通過すると、一時間に何十もの流れ星が降り注《そそ》ぐ流星群となる。

たいていの流星は大気中で燃え尽きてしまうが、中には大きすぎて燃え残り、地上まで落ちてくるものがある。これが隕石《いんせき》だ。隕石の成分は地表の他の物質とはっきり異なっていて、元になった彗星や小惑星の構成要素を推測する手がかりとなる。

場合によっては欠片ではなく、彗星や小惑星がほぼそのまま降ってくることもある。ごく最近でも1994年7月に、シューメイカー＝レヴィ第9彗星が木星の重力に捕らえられて、木星の潮汐力《ちょうせきりょく》で20以上に分解させられた末、次々と木星表面に飲み込まれていくのが見られた。

木星に比べて重力の弱い地球では、このような直接の衝突はずっと稀《まれ》であるが、それでも何千万年に一度くらいは起きているはずである。仮に直径数10㎞の彗星がそのまま降ってくると、そのエネルギーは人間が現在保有する核兵器全部の数万倍となる。複数の強い証拠から考えて、実際に今から6600万年前、巨大流星が地球に降ってきて、巨大地震と津波そして10年近く続く噴煙《ふんえん》による「隕石衝突の冬」を引き起こしたらしい。地上の生物種の76％が死に絶えた、いわゆる「中生代＝新生代境界」の大絶滅である。そしてこの特大流星のおかげで、恐竜がほぼ絶滅して哺乳類《ほにゅうるい》が地上の主人になった。このことを考えれば、人間が流れ星を美しいと感じてそれに願いをかけるのは、とても理にかなったことにも思えてくる。

流れ星がもたらすものは、破壊と生態系の交代にとどまらない。地上にある水の少なくとも一部は、水をたくさん含んだ巨大な彗星が地球と衝突《しょうとつ》したことでもたらされた、とする説が有力である。また生命の基礎となる有機物の多くが、地上でゆっくり生成されたのではなく、彗星起源の隕石に付着して地上にもたらされたとする学説もある。それどころか原始生命そのものが宇宙起源だとする説、いわゆるパンスペルミア説も、生物学界や天文学界の一部に根強く存在するのだ。

流れ星なしでは、おそらくは読者諸氏が今、この文をこうして読んでいることもなかっただろう。一瞬の光芒とともに消え去る流星は、天界から遣わされた僥倖の使者であり、人間の生存のための要件の一つだったのである。

第**2**夜

流星群の夜に

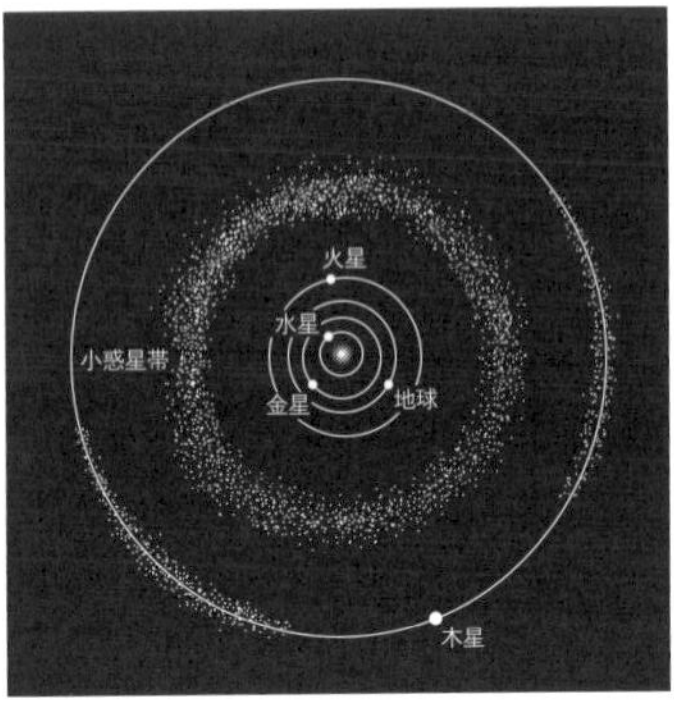

小惑星帯——小惑星の故郷

＊

ではいったい、流れ星の母体である小惑星や彗星はどこから来たのだろうか。

彗星と小惑星とはとても似ていて、まわりが気体で覆《おお》われて尾があるのが彗星である。小天体が水を含んでいて十分太陽に近づくと気化して尾を引くので、尾があるかないか、彗星か小惑星か、どちらとも判別しにくいものもある。

小惑星は木星と火星の間にある「小惑星帯」から迷い込んできたものが多い。いわばなじみのご近所さんからの訪問者である。一方大多数の彗星はずっと遠い無案内な場所、太陽系の外側の世界に起源をもつ。彗星は太陽をめぐる「周期」、すなわち同じ場所に戻ってくるまでの時間で二種に分類する。周期が２００年以下のものが短周期彗星、それ以上の周期をもつのが長周期彗星である。周期の長い彗星はそれだけ太陽から遠く離れた地点まで達している。

短周期彗星は「カイパー・ベルト」から来ている。これは火星を越え木星を越え、土星と天王星を越えたさらに先、太陽系の最も外側の惑星である海王星の外に広がった円環状の領域である。太陽から地球までの距離の約30倍から100倍あたりまでにわたるこの寒冷地帯には、氷主体の小天体が無数に散らばっている。カイパー・ベルトにはまた、冥王星《めいおうせい》やエリスなどの「準惑星」も回っていて、これらは偶然近づいた小天体の軌道を大きく曲げる。小天体同士が衝突して軌道が変わることもある。軌道を曲げられた小天体のうち、地球のある太陽系中心部に向かって落ちてきたものが彗星となるのだ。

カイパー・ベルトの円環が地球の公転面上にあるため、短周期彗星はすべて、地上から見るとおおよそ太陽の往《い》く天上の軌跡上に出現する。「パイオニ

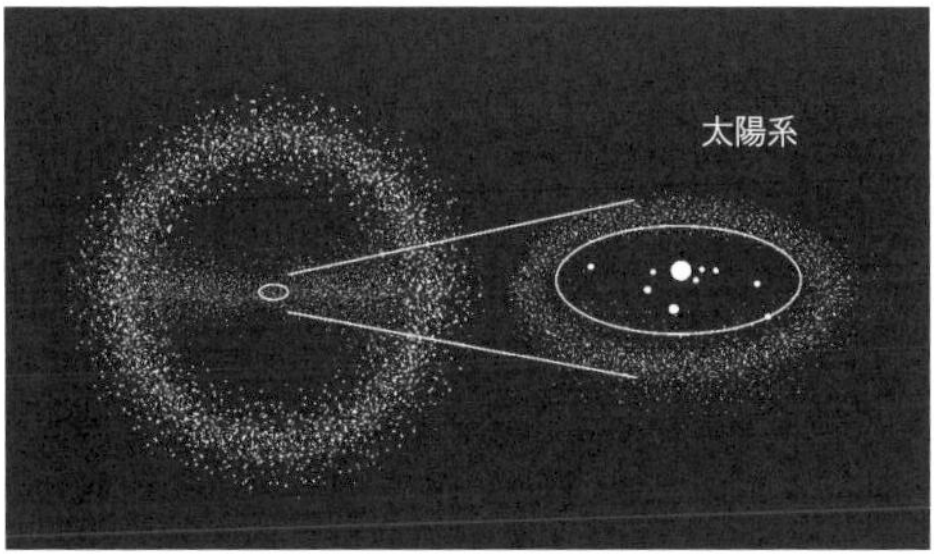

［右］カイパー・ベルト――短周期彗星の故郷
［左］オールトの雲――長周期彗星の故郷

ア号」「ヴォイジャー号」といった人間の送り出した宇宙船が、すでにカイパー・ベルトにまで達し、一部はさらにそれを越えて進んでいる。

長周期彗星は千年を超える桁違いに周期の長いものが主である。その起源は地球軌道半径の1万倍から10万倍の遥《はる》か彼方《かなた》、遠すぎて惑星たちも見えなくなり、太陽の重力が他の星々によって打ち消される限界近くにまでおよぶ。光速で行っても太陽から一月《ひとつき》から一年もかかる場所である。歴史的な大彗星の多くはこの長周期彗星に属している。長周期彗星は地球公転面に対してあらゆる角度の軌道をやってくるので、地上から見て天空のあらゆる方向に出現する。

してみると地球軌道半径の数万倍、太陽から幾兆キロ離れた極寒地帯に、太陽系を分厚い球殻《きゅうかく》状におおう彗星の種《たね》の集積があると考えざるを得ない。この事実に気づいたオランダの天文学者ヤン・オールトにちなんで、この太陽系のシベリアともいうべき最果ての領域は「オールトの雲」と呼ばれる。ここには凍《い》てついた小天体が一兆ほどもあると考えられている。太陽系に近づいた他の恒星の影響や、オールトの雲の中の小天体同士の衝突で、太陽系中心方面に弾《はじ》き飛ばされて来たものが長周期彗星なの

第2夜

流星群の夜に

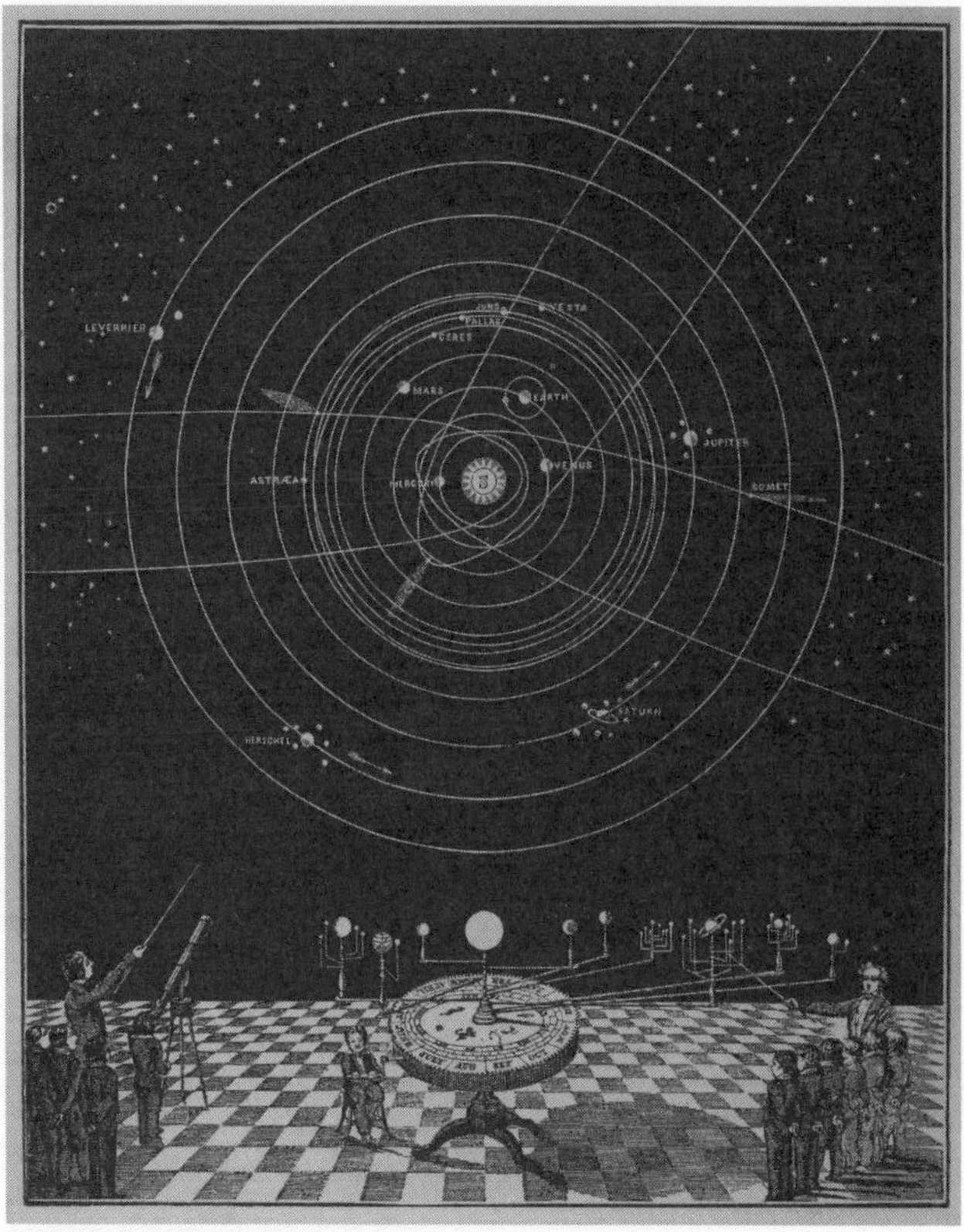
LEVERRIER
JUNO
PALLAS
VESTA
CERES
MARS
EARTH
JUPITER
VENUS
ASTRÆA
MERCURY
COMET
SATURN
HERSCHEL

である。

＊

オールトの雲は地球からあまりに遠く、その性質も起源も謎のヴェールに包まれているが、これを巡っては近年「ネメシス仮説」という興味深い議論が提出されている。それによると太陽は実は二重星で、未発見の暗く小さな赤い伴星《はんせい》「ネメシス」があって、オールトの雲の近くを廻《めぐ》っているというのである。もしそうならば、オールトの雲をネメシスが横切るたびに、たくさんの彗星が発生して地球付近を襲い、地球生命の大絶滅が繰り返されるだろう。1984年、シカゴ大学の古生物学者デイヴィッド・ラウプとジャック・セプコスキーは、過去2億5000万年の地層を研究して、まさにちょうど、そのような2600万年周期の地球生命大絶滅の痕跡を発見したのであった。

太陽に伴侶《はんりょ》の星がいるのかもしれない。その暗い伴星が数千万年に一度、昼空までをおおう彗星の嵐、めくるめく流星の雨を地球にもたらすのだ！

それはなんという戦慄《せんりつ》すべき仮説だろうか。さらに最近の理論的研究によると、ほぼすべての恒星《こうせい》は単体ではなく連星《れんせい》として生まれるのだという。ネメシス説への側面支援である。実際太陽の近辺にいる星を見ても、ケンタウルス座アルファ星は三重星、おおいぬ座シリウスは二重星、こいぬ座プロキオンも二重星と、連星ばかりである。

太陽付近での暗い星の徹底的な探索が行なわれた。しかしいまだネメシスは見つかっていない。さらに最近では、統計的有意性の観点からラウプ＝セプコスキーの周期絶滅説自体を疑問視する新研究が現れた。昔はいたネメシスが数十億年前に外宇宙に飛び去ったという説まで提出されて、太陽の秘密の伴星をめぐる混乱はいよいよ深まってきた。太陽近隣の暗い星の発見に特化した新しい観測装置の準備が進んでおり、ネメシスの探索は今も続いている。

彗星たちは太陽系の最遠部の神秘を宿したまま地球軌道を訪れる。彗星たちの欠片である流星群は、まさに深宇宙から差し向けられた秘密の伝令なのだ。

春たけなわ4月末のある夜、それは「こと座流星群」のピークの日であった。高知工科大キャンパスの真っ暗なグラウンドのまわりに、ひさびさの天体ショウを見ようと人々が集まっていた。学生たち、子供連れの夫婦、若いカップルたち。天体写真家だろうか、大層な撮影ギアを抱えた自由人風の男性もいる。夜半を優に超えてもだれも帰ろうとはしない。

「12個目を見つけたよ」とあどけない声の少年が、席を外して戻ってきた母親に話す。という間もなく、一斉《いっせい》に歓声があがった。東の空を見事な火球が、青白い尾を長く引いて、織姫星ヴェガから白鳥座の大十字へと落ちていった。鮮烈な忘れがたい光景であった。

そうだ、歓呼《かんこ》の声をあげようではないか。太陽系の尽《つ》き果てる幽冥《ゆうめい》の彼方から、われわれの元に使者が訪れたのだから。

第2夜
流星群の夜に

＊＊＊＊＊＊

第3夜

＊＊＊＊＊＊

世界の中心にすまう闇

——世界の中心には巨大な暗闇がある。

本日の客演講師、高知大物理学科、飯田圭《いいだけい》教授の講演はこのように始まった。

宇宙の中心はどこであろうか。実はこの質問には答えがない。宇宙は、より多次元の空間に埋《う》め込まれた、両端がつながった閉じた空間だからである。ちょうど地球の表面の二次元世界に生きる生物にとって、地表のどの地点が中心かという質問が無意味なように。

昼空には輝く太陽がある。コペルニクス以来よく知られている通り、この太陽が、地球や金星、火星を含む太陽系全体の中心である。では夜の星空の世界の中心はどこにあるのだろうか。目に見える星のほぼすべてはわれわれも属している銀河、すなわち「天《あま》の川銀河」の構成員である。天の川銀河の中心こそが、さしあたってわれわれの目にする世界の中心だと考えてよいだろう。

初夏の深夜の天頂にかかる天の川、これは円盤状の銀河を内側から見た様子にほかならない。中天の白鳥座が身を浸《ひた》すあたりからたどって、天の川が南の地平線に落ちる少し手前、真赤な蠍座《さそりざ》のアンタレスのとなり、射手座《いてざ》でひときわ明るくなっているあたり、そこに天の川銀河の中心がある。

銀河を外から見た想像図などでは、薄い円盤状の周辺部にくらべて、銀河の中心はひときわ明るいミカン状の形に見えるが、われわれの空にはそのようなものは見当たらない。むしろ中心付近で天の川は削《けず》り取られたように暗くなっている。その理由は暗黒星雲といって、光をあまり通さない暗いガスが、われわれの太陽系と銀河中心の間に横たわっているからである。われわれの世界の中心である「銀河中心」は長い間、人間の視野のおよばない空白の世界であった。

赤外線天文学そしてX線天文学の発展で、その状況が近年一変した。可視光より波長の長い赤外線や、ずっと波長の短いX線は、暗黒星雲を突き抜けてくるからである。

赤外線で見た星々は、銀河中心に近づくにつれどんどん密度が増して千倍万倍、しまいに何十万倍にもなる。星と星との距離はわれわれの近辺だと4〜5光年ほどもあるのだが、それが1光年ほどになり、さらに0・1光年ほどになる。するともう、まわりじゅう星だらけになって、青や赤に輝く星たちの明るいこと明るいこと。そのあたりの星たちのまわりに安定な惑星が存在しうるのか、今のところ推測の域《いき》を出ないが、仮に惑星があってそこに生物が住んでいるとしたら、彼らの夜空の絢爛《けんらん》さ美しさは、想像を絶するものだろう。

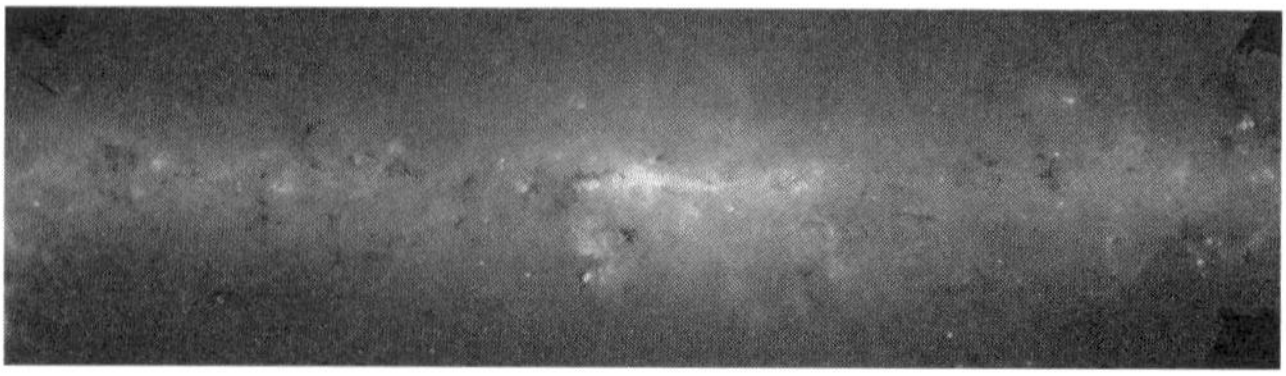

[上] 可視光線による天の川銀河　CC 4.0 BY ESO/S. Brunier

[下] 赤外線による天の川銀河　NASA's Spitzer Space Telescope

さらに銀河中心に近づいてみよう。そこは大強度のX線の飛び交う死の世界である。そこにいったい何があるのか、２００９年、ドイツはマックス・プランク研究所の天文学者たちが、銀河の中心の真の正体を探り当てた。

赤外線望遠鏡で見ても、暗黒の闇以外、そこには何も見えない。彼らは暗黒の中心のまわりを、非常に早い速度で周回する14個の星を見つけて、その軌道を10年にわたり観測し記録した。それらはすべて、一つの点「Sgr A*（射手座エイスター）」、銀河のど真ん中にある暗黒の中心点のまわりを異常な高速で行き交っていた。それは中心点のSgr A*における巨大な質量の存在を示している。計算の結果その質量は太陽の４００万倍であった！

超巨大ブラックホール。

銀河の中心には、太陽を2千の2千倍集めて極限まで縮《ちぢ》めたような、想像を絶する怪物が鎮座《ちんざ》していたのである。通常のブラックホールは、燃え尽きた後の大きな星が重力で自壊《じかい》してできる星の死骸《しがい》の一種である。しかし星数百万個分の巨大ブラックホールがどのようにできたのか。それは今のところ、人知を超えたミステリーである。

すべての星々が銀河中心の超重量ブラックホールのまわりを回っている。われわれの太陽系も2億年かけてそれを回る。あらゆる存在の中心に暗黒が棲《す》んでいたのである。

しかもこの暗黒はただの虚無《きょむ》ではない。ブラックホールは「降着円盤《こうちゃくえんばん》」と言われるディスク状の物質の環《わ》をまとう。巨大な重力がまわりの物質を吸い込む際にできる構造である。円盤内では物質同士が摩擦《まさつ》を起こし接触し衝突する。そこは極《ごく》高エネルギーの高温世界である。物質はその質量の半分近くまでを失って、それが強烈なX線エネルギーとして放出される。つまりブラックホールは巨大な重力エネルギー変換機、宇宙最強のエネルギー創出装置である。これと比べると、質量のほんの千分の一程度をエネルギーに変換するだけのわれわれのもつ核兵器など児戯《じぎ》に等《ひと》しい。降着円盤は銀河の内外にエネルギーを供給し、そこからいずれ星が生まれ光が生まれるだろう。

宇宙全体にはわれわれの天の川銀河と類似の銀河が無数に存在する。天の川銀河中心の巨大ブラックホールから放射されるエネルギーは、巨大とはいえ、宇宙全体で見ると実は決して大きいほうではない。それより桁《けた》違いに巨大なエネルギーを放出している「活動銀河核」をもつ銀河が多数存在する。現在の標準的な理解では、ほとんどの銀河に活動期と休眠期が交互にやってくる。中心のブラックホールの周囲に多くの物質が集まって、それらが吸収されるとき銀河核は活動期に入る。すべて飲み込み尽くすと、次にまとまった物質が近づくまで休眠期に入る。

どうやら天の川銀河は、たまたま現在休眠期にあるだけのようだ。次の活動期がいつ始まるのか、まだ予想することができないという。

いずれ天の川中心が突然輝き出し、とてつもない強度の宇宙線が降りそそぎ、われわれすべてが死に絶えるだろう。それが1億年後なのか、百年後なのか、または明日なのか、自分たち自身のまことの宇宙的運命を、われわれは知らない。

＊

そんなあいまいな想念《そうねん》にふけっている間に、飯田博士の講義は終わっていた。どこからか来るそよ風に講義室は柑橘《かんきつ》の花の香りで満たされていた。土佐《とさ》の初夏の夕べが暮れてゆくなか、質問をする学生たちに取り囲まれて、教室を去っていく博士の姿が

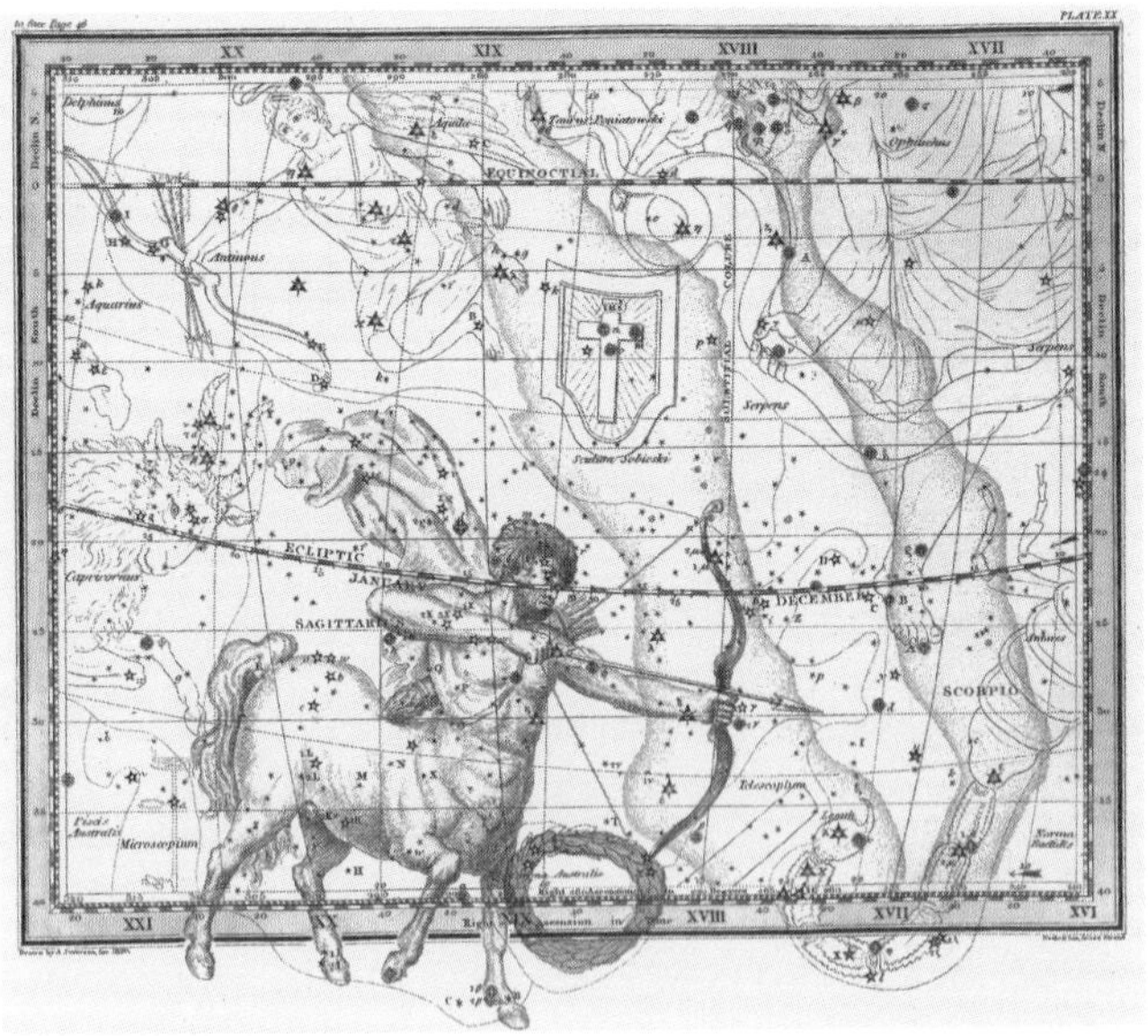
PLATE XX
XX
XIX
XVIII
XVII
XXI
XVI
Delphinus
Aquila
Taurus Poniatowski
Ophiuchus
EQUINOCTIAL
Antinous
Aquarius
COLURE
Serpens
Scutum Sobieski
ECLIPTIC
Capricornus
DECEMBER
SCORPIO
Telescopium
Microscopium

遠くに見えた。

ふたたび妄念《もうねん》が湧《わ》いてきた。

巨大ブラックホールの起源はなんなのだろう。無数の小さなブラックホールが衝突合体を繰り返してできたものなのか。それともわれわれの知らない驚異の超天体の死した後の骸《むくろ》なのか。

あらゆるものを消し去る漆黒《しっこく》の沈黙であると同時に、世を光と力で満たす源泉でもある銀河中心のブラックホール。古代の智者たちはわれわれに先立ってすでに、世界の中心に座《ざ》す巨大ブラックホールの存在に気づいていたのではないか。片手で死を、片手で創造を司《つかさど》る造物主シヴァの神、それはいにしえのインドの哲人たちが、宗教的観想の中で予感した巨大ブラックホールの隠喩《いんゆ》ではなかったのだろうか。

講義室は真暗《まっくら》になっていた。部屋を出る扉は鍵がかけられ、もう開かなかった。

守衛室に連絡しようと、私は携帯電話を取り出した。それは言うまでもなくバッテリー切れであった。

＊＊＊＊＊＊

第４夜

＊＊＊＊＊＊

ファースト・ラグランジュ・ホテル

もう30年ほども昔、弟の結婚式の余興で、だれぞやが新郎新婦に「月のインギラミ渓谷《けいこく》の権利書」というものを物々しくプレゼントしていた。あとで緋色《ひいろ》の帯を巻いた書類を見せてもらったら、国連から権利を買い取ったというアメリカのデニス・ホープ氏が代表を務《つと》める、「ルナー・エンバシー」なる機関の発行らしかった。

西暦１９８０年、失業中だったデニス・ホープ氏は、車の窓から覗《のぞ》いた月の哀《かな》しい美しさを見て「月の不動産所有権」の想を得た。国連で１９６７年に批准《ひじゅん》された「宇宙条約」は、主権国家による月の所有や資源の利用を禁じているが、個人や会社については何の言及もない。この法の穴を突いて、国連に書簡を送ることで、その年のうちに所有権が（ホープ氏の頭の中で）確定したのである。

米国政府は今から10年ほど前に月探査の「コンステレイション計画」を取りやめて、月までの宇宙空間の開発を民営化する方針を打ち出した。それ以来、月面のあれこれの区画の所有権ないし開発権という従来は荒唐無稽《こうとうむけい》だった話が、俄《にわか》に現実味を帯《お》びてきたようである。

大農場サイズに小分けにした月の土地の権利証の売り上げで、ホープ氏の資産は公称13億円という。

しかし月の土地の所有権の前に、もう一歩手前にあって現実的なのは、「第一ラグランジュ点」の所有権、ないし占有《せんゆう》使用権の問題だろう。

これは、地球と月を結ぶ直線を、月までの距離の85%ほど行った地点のことである。ここでは地球の重力と月の重力が釣り合って安定であって、いわば地球—月定期便の天然の中休み地点に当たる。この戦略的な場所に最初に恒久的《こうきゅうてき》宇宙ステーションを置くことは、その後の月開発に大きな優位性をもたらすと考えられる。

地球と月の重力の吊り合いで力学的に安定なラグランジュ点は、全部で5つある。そのうち「第一」と「第二」が地球から月へ伸びる直線上にある。2019年に月の

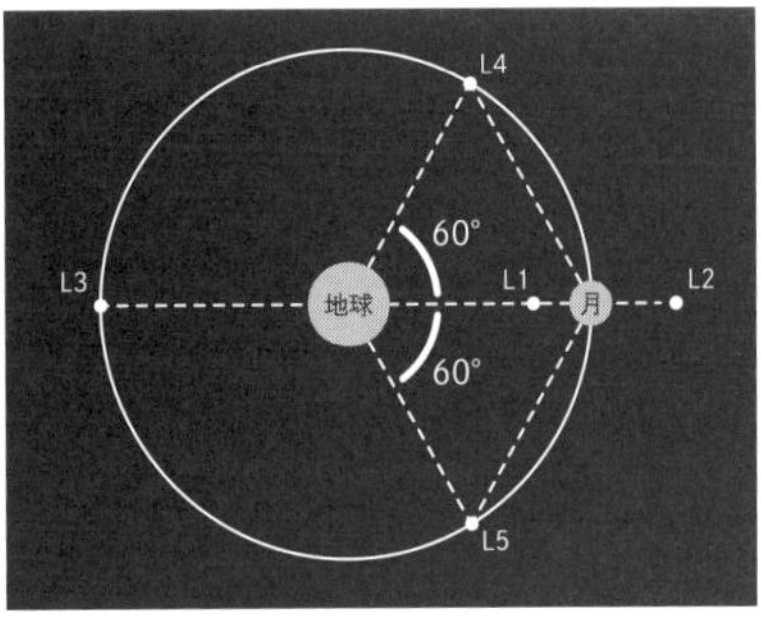

5つのラグランジュ点（L1～L5）

裏側に着陸した中国の探査船では、地球から見て向こう側の「第二ラグランジュ点」を周回する「Ｌ２ハロー軌道」に置かれた人工衛星が、通信中継として用いられた。

　宇宙飛行の費用の大部分はロケット打ち上げ部分で、これの現在のプライスリーダーはイーロン・マスク氏の経営するスペースX社、その金額は68億円である。これが宇宙起業家たちの競争で10年後には20億程度まで下がるだろうというのが、経済誌の予想である。

　民間人の宇宙開発を許可する「商業宇宙打上競争力法」がアメリカ議会を２０１５年に通過すると、すぐさま事業に参入したのがＩＴ王、不動産王、ネット書店王、その他の億万長者たちである。彼らの野心的な面相を見ると、たしかにこの楽観的な予想に頷《うなず》けなくもない気がする。

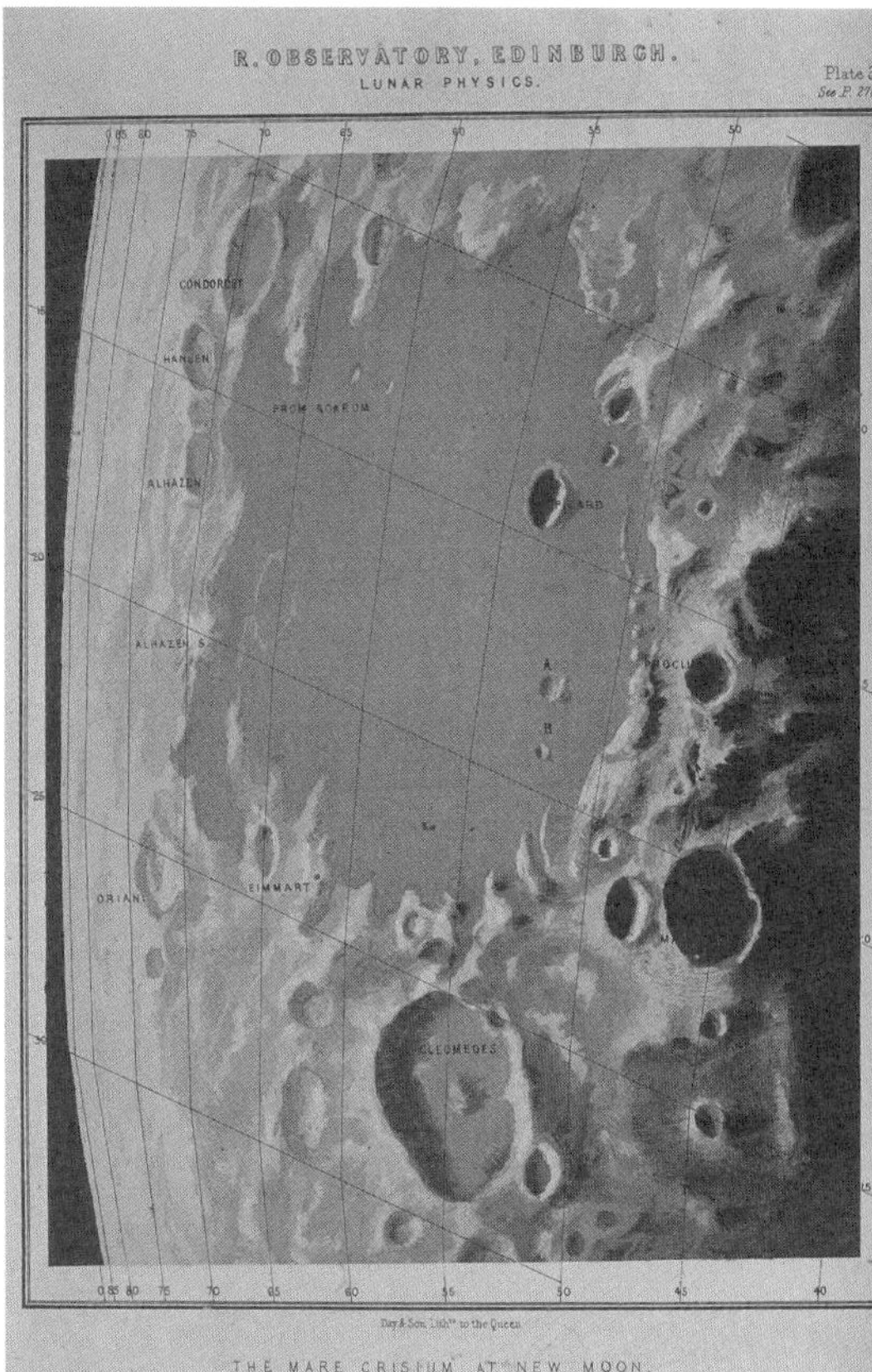
R. OBSERVATORY, EDINBURGH.
LUNAR PHYSICS.
Plate 3.
See P. 270.
CONDORCET
HANSEN
PROM. AGARUM
ALHAZEN
ALHAZEN β
A
B
ORIANI
EIMMART
CLEOMEDES
Day & Son, Lithrs to the Queen
THE MARE CRISIUM, AT NEW MOON.

予想通りなら40年後あたり、一回の打ち上げ費用が1億円を切ったころから、宇宙旅行の大衆化が本格的に始まっているだろう。そしてその時こそ、わが弟夫妻を含む月の土地の権利書をもつ地主たちが、約束された自分の土地に立てるのかもしれない。

そしてその暁《あかつき》には、地球－月を結ぶ定期航路の天然の中継点「ファースト・ラグランジュ・ホテル」を経営する大立者《おおだてもの》に、文字通り天文学的な富が集まるのだろう。宇宙不動産ベンチャーがＮＡＳＤＡＱに上場されるのはいつのことやら。

しかし一方、無秩序な宇宙資源の開発をこのまま見過ごしていいものだろうか。国際法と国内法の齟齬《そご》をどうしたものか。宣言しただけで月が所有できるとするホープ説は論外としても、では月は誰のものだろうか。真っ先に到達した人のものになるのか。コロンブスさながら「神の名において、この未知の土地はわが雇主のもの」と宣言するのは有効だろうか。誰が相矛盾する所有権の主張を調停できるのか。

世界中の法律家の間で、公正な宇宙法を整備しようという機運《きうん》がようやく巻き起こっている。個人の自由精神の発露《はつろ》と、人類全体の公平をバランスした実効的な法律の整備は、議論百出で長い困難な過程となるだろう。

そしてその間にも、月と月航路の開発はなし崩しに進んでいきそうである。

いずれにせよ、地球上どこも隅々《すみずみ》まで知り尽くされ、先住者に占めつくされ、息苦しくてたまらなくなった今の世界の若者にとっては、天空こそが唯一明白なフロンティアであろう。

筆者の住む高知では、今年もナショナルメディアが主導する「幕末ブーム」「坂本龍馬ブーム」に便乗したイベントが花盛りのようである。筆者の思うには、もし坂本氏が現代に蘇《よみがえ》ったら、この種のお祭り事にはもちろん一瞥《いちべつ》もくれず、さらにはバイオベンチャー、エコベンチャー、AIベンチャーといった、今時どこにでもある話もさっさと切り上げてしまうだろう。そして先行するアメリカのマスク氏、ビゲロー氏から、そしてロシアや中国の起業家から、第一ラグランジュ点確保への主導権を奪うべく、きっとまっすぐに宇宙開発ベンチャーに乗り出すことであろう。

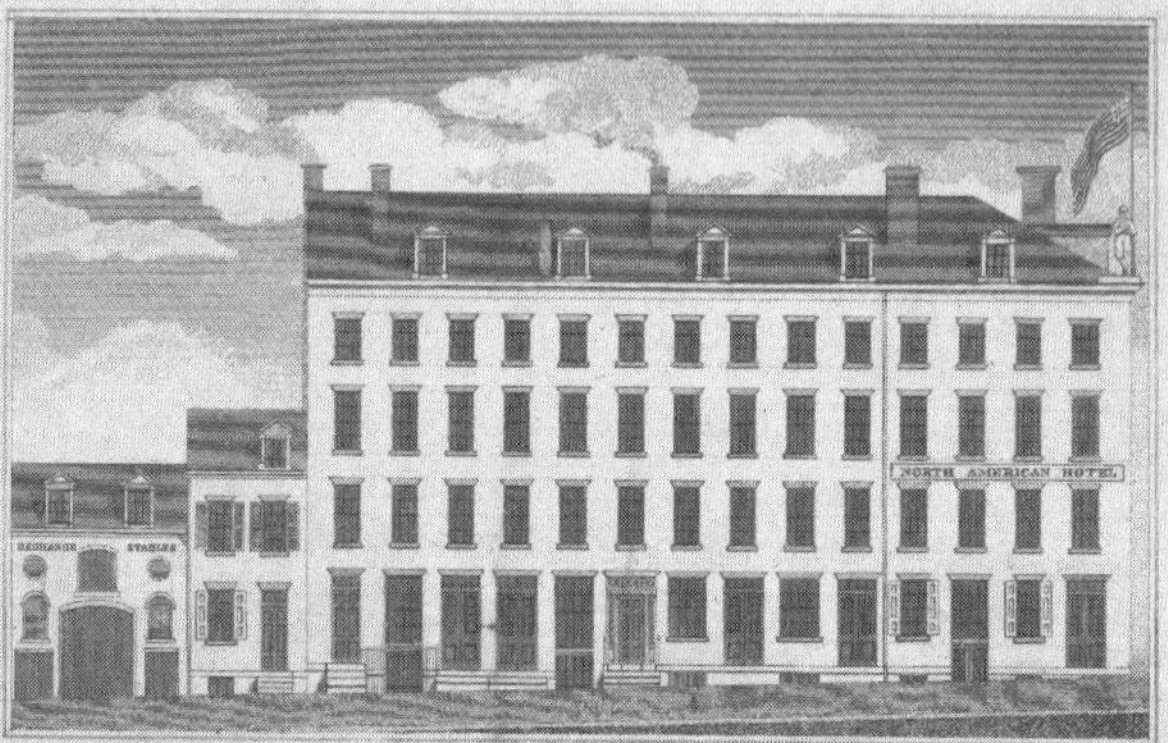

NORTH AMERICAN HOTEL

NEW YORK.

THIS NEW AND SPLENDID ESTABLISHMENT, SITUATED IN THE MOST PLEASANT AND CENTRAL PART OF THE CITY, IN THE

BOWERY, CORNER OF BAYARD-STREET,

Near the Bowery Theatre, where the Bowery and Wall-street Stages pass hourly.

Offers to gentlemen from the South, and strangers generally, every inducement, as it contains a number of Parlours with Bed-rooms adjoining; single Bed-rooms, &c. The Table wfll be constantly furnished with every luxury of a plentiful New-York market, and the Bar with a choice variety of Wines, and other Liquors, not surpassed by any establishment in the city.

The Proprietor pledges himself to use every exertion to render his House pleasant and agreeable to all those whose pleasure it may be to favor him with their patronage.

PETER B. WALKER.

APRIL, 1832.

W. Applegate, Printer, 257 Hudson-street, one door above Charlton, New-York.

原子編

掌《て》に消える北斗の印《いん》。
……然《け》れども開かねばならない、この内部の花は。
背後《うしろ》で漏沙《すなどけい》が零れる。

——吉田一穂「白鳥」

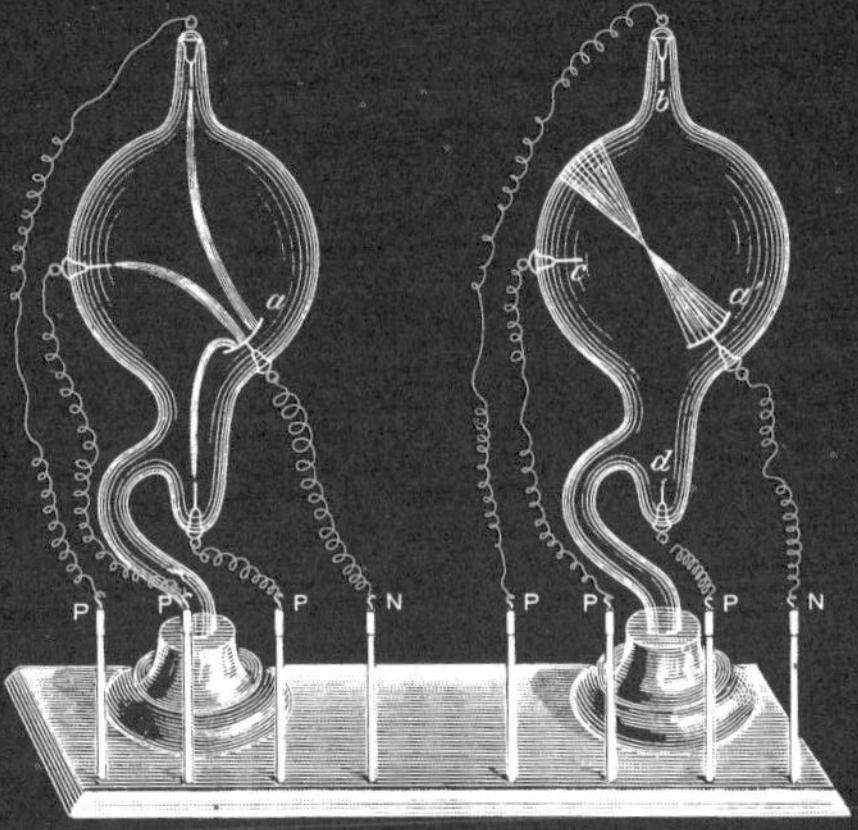

＊＊＊＊＊＊
第5夜
＊＊＊＊＊＊

真空の探求

存在感の薄い人や物を形容するのに、「空気のようだ」と言うことがある。同時にそれは、薄いなりに確かに存在するもの、われわれに近しい馴染み深い存在を指している。空気さえ存在しない虚無《きょむ》は恐怖を呼び起こす。近代以前の科学で「真空《しんくう》」の実在が否定されたのは、まさに自然界自体が真空を恐怖する、と信じられていたからである。

真空の実在をはじめて示したのは、イタリアのエヴァンジェリスタ・トリチェッリである。それは1646年のことで、ヒントは給水ポンプであった。当時至る所で地下水の汲《く》み出しに用いられていたものである。筒《つつ》を井戸の水に沈めてポンプのピストンを引き上げると、あまり力を加えずとも水を汲み上げて、地上の蛇口まで誘導できる。ところが井戸の深さが10ｍほどを越えると、水は決して蛇口から出てこない。これは井戸の形状にも場所にもよらない一般的な現象で、その理由がよくわかっていなかった。

主君フィレンツェ公の依頼で、この問題を調査していたガリレオは、空気に重さがあることを別の現象から知っていた。メディチ宮廷の庭で、ガリレオは自ら給水ポンプの実験を行なった。ポンプの中の水面が10ｍまで上がるのは、上がった分の水の重さと、ポンプ外での水面が引き受けている空気の重さが、水面単位面積当たりで釣り合っているからだ、と正しく推測した。10ｍを超えてポンプのピストンを引き上げたとき何が起こっているのかについては、ガリレオは何も語っていない。

ガリレオの弟子であったトリチェッリは考えた。外の空気の重さが水面に及ぼしている圧力と、10ｍの水柱の重さが水柱底のもとの水面に及ぼしている圧力が釣り合うのならば、それ以上ピストンを上げてもポンプ内の水面がそのままの位置なのは当然であろう。10ｍ以上引き上げられたピストンと、10ｍで止まった水面の間の隙間の空間は、もともと隙間がない状態から作られたものなので、その中には何も入っていな

WM

いはずだと結論付けた。

長さ10ｍを超える吸水ポンプを、中が透けたガラスで作ることができたならば、10ｍで止まった水面と引き上げられたピストンとの間の真空を、実際に目にすることができるだろう！

しかし10ｍのガラス管をどのように作ればよいのだろうか。悩んでいたトリチェッリに天啓《てんけい》が降ってきた。同じことを水よりずっと重い液体で行なえばよいではないか。当時も今も、知られている最も重い液体は、同じ容積で水の13倍の重さをもつ水銀である。ポンプで水銀の吸引を行なえば、76㎝ほどの高さに上がったポンプ中の水銀は、外の水銀表面が受けている外気の重さと釣り合うはずである。それを超えて吸引を試みれば、そこに真空が見えるだろう。

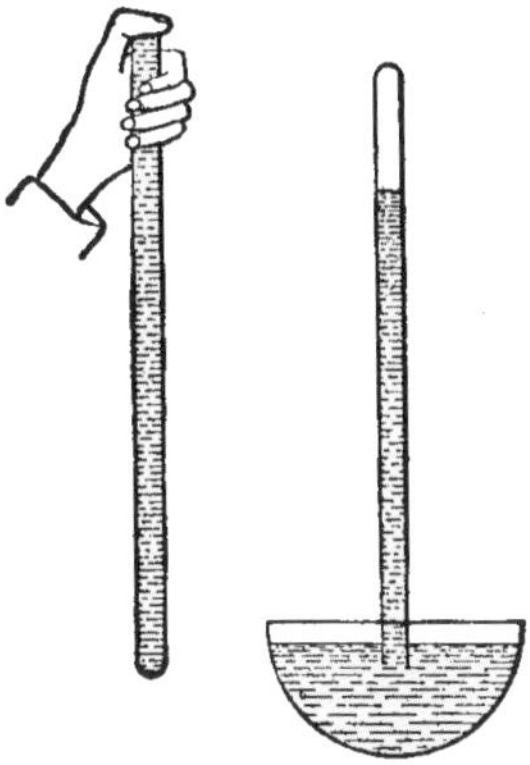

トリチェッリがすぐに気づいたのは、76㎝程度の長さならポンプを用いるまでもないということだった。1ｍほどの試験管さえあれば、それに水

銀を満たして、たらいにいっぱいの水銀の中でひっくり返すだけでよい。試験管が逆さまになったとき、水銀柱の高さは76㎝となって、それを超えた試験管底面までの空間には、真空が現出するはずではないか。

それからあとは歴史である。トリチェッリは人類ではじめて真空を目にした者となったのである。

真空発見のニュースは、すぐに欧州中の科学界にひろまった。フランスの数学者ブレーズ・パスカルは、翌1647年、水銀柱の実験を、彼の住むクレルモンのまちなかの広場と、すぐ近所の標高1400mあまりのピュイ・ド・ドーム山頂の二ヵ所で行なった。そして高所では、水銀柱の表面がより低くなることを示した。気圧の概念の確立である。地上を離れて高く登るほど気圧が下がってくる。そして十分高いところでは気圧はゼロとなって、覆《くつがえ》された試験管中の水銀面は外の水銀面に揃《そろ》ってしまうだろう。なぜなら地表からその高さ以上離れた場所に、もう空気は見つからないだろうから。

ある標高以上では空気は見出されない。いや、それは正しい表現ではないだろう。冷酷な真空が果てしなくひろがる宇宙に、空気の薄い層をまとった芥子粒《けしつぶ》のような地球が、ぽつねんと孤独に浮かんでいるのだ。自然は真空を嫌うというのは希望的観測であった。人間の論理も倫理も拒絶した空虚《くうきょ》こそが宇宙の真の姿である。神秘思想家パスカルが直覚したこのヴィジョンは、『Pensées《パンセ》（思索録）』に残された次の言葉からはっきりと見て取れる。

Le silence éternel de ces espaces infinis m'effraie.
無限の空間の永遠の沈黙が私をおののかす。

近代科学の黎明《れいめい》を告げる真空の発見の中に、すでに「実存的不安」を予感したパスカルの、なんという透視力だろうか。それは300年ののち、合理主義と科学の勝利の果てに、核の世紀に人類すべてが直面することになる苦悩であった。

真空の発見は、その後の近代科学の発展に決定的な役割を果たすことになる。トリ

123
LE PUY-DE-DOME
Le Temple de Mercure et l'Observatoire
123

チェッリから200年を経て、ハインリヒ・ガイスラーがより強力な吸引ポンプを製作し、より高い精度の真空が作れるようになった。ガイスラーは数学者ユリウス・プリュッカーとともに、真空のガラス管に電圧をかける放電実験を行なった。陰極管《いんきょくかん》の登場である。彼らは真空放電の目も綾《あや》な新しい光を見たのだった。それは時を経て、ガス燈《とう》に置き換わる電燈の時代をひらくことになった。

陰極管を用いた実験は、やがて電子の存在を明かし、さらには未知の光、物を透過するX線の発見につながった。真空こそが、原子と核と放射能エネルギーの世界への重い扉をひらく鍵だったのである。

＊＊＊＊＊＊
第6夜
＊＊＊＊＊＊

ベクレル博士のはるかな記憶

（悲しいことであるが）放射線強度の単位「ベクレル」は、今では誰もが知る一般常識である。放射能をはじめて見つけた19世紀フランスの物理学者、アンリ・ベクレルにちなんだ名前である。

時は1895年、欧州は「人体を透過する新しい光」X線の発見に沸《わ》いていた。X線、またの名をレントゲン線は、それまでの科学では全《まった》く予想されなかった、不気味な新現象であった。「世のすべては原理的に解明されている」とする当時の物理学界の雰囲気は、一夜にして覆《くつがえ》された。強大な力を秘めた光が、他にもまだ気づかれぬままに存在するのではと、多くの人が疑い始めた。

パリ自然史博物館の主席研究官アンリ・ベクレルは、レントゲンの論文を精読して考えた。目に見えぬX線が蛍光《けいこう》物質を塗った紙を光らすのなら、蛍光物質に光を当てることでX線を作れないものか。あるいはX線以外の、さらに未知の光が見つかるかもしれない。

彼は太陽光を様々な手持ちの物質に当てて、物質が蛍光を発するかを調べ始めた。すぐに彼の注意を引いたのは、「ウラニウム塩」が太陽光にさらされて発する燐光《りんこう》であった。これはボヘミアングラスの美しい緑の発色に使われていた顔料で、ズデーテン山系はカールスバードの温泉街に近い、ヨアヒムスタール銀山のみで産出する稀少《きしょう》な素材である。

自分自身にも説明のできない奇妙な予兆を感じたベクレルは、陽光にさらしたウラニウム塩を厚い黒紙に包んで、十字架を間に挟んで写真乾板《かんばん》の上に置いた。数日放置して取り出した乾板を現像すると、彼はそこに案の定、十字架の影を除いて真っ白に感光した写真を見出した。太陽光を浴《あ》びたウラニウム塩は、燐光だけでなく、黒紙をも通す目に見えない何かを放射していたのだ！

これはX線だろうか。実験を続けるうちに、この未知の放射線がまわりの空気を激しく電離させていることを見つけた。どうやらレントゲンの発見したX線より、はる

1. Foglia di Fico. 2. Foglia di Spino bianco, offic. Crataegus

かに強いエネルギーをもっているようである。それは透過するというよりも、目には見えぬまま物質を打ち、貫通《かんつう》するのであった。

最後の僥倖《ぎょうこう》が曇り空の姿でやってきた。1896年の2月のパリに、太陽のない暗い日々が続いた。実験は中断され、ウラニウム塩は黒紙に包まれたまま、実験室の棚にしまわれた。晴れの日がようやく訪れ、実験を始めようと試料の検証を始めたアンリ・ベクレルを驚愕《きょうがく》が襲った。ウラニウム塩を包んだ黒紙の下に、偶然置かれていた写真乾板がすでに感光していたのである。十字架の影もくっきりと浮き出ていた。ウラニウム塩は陽光をまったく浴びなくとも、自分自身で自然に未知の放射線を放っていたのだ。

人類が放射能をはじめて識《し》った瞬間である。

アンリ・ベクレルは、はるかな記憶の奥底で何かが疼《うず》くのを感じた。寝床についてから、封印が解かれたように、少年時代の思い出がありありと蘇《よみがえ》ってきた。父エドモンが、家族の夕食の席で何度か持ち出した不思議な話であった。当時パリでよく知られた「ニエプス・ド・サン＝ヴィクトル写真館」で、ウラニウム塩の画材で絵を描いた布と、塩化銀の感光紙とが、偶然並んで少し離して吊《つ》るされていた。すると布の絵が感光紙のほうに、そのまま写っていたというのである。

後から思えば、このときすでに放射能が人知れず姿を現していたのだ。絵柄に使われたウラニウム塩の放つ放射線が、平行に離れて置かれた感光紙に当たって、元の絵の似姿《にすがた》を作っていたわけである。

アンリの父エドモンは当時パリ自然史博物館の主席研究官であった。父の没後アンリが継《つ》ぐこととなった地位である。ちなみにアンリ・ベクレルの学術論文のどの箇所にも、写真館の写し絵についての言及は見出せない。

ベクレルの自然放射線発見のニュースは、瞬《また》く間に欧州中に広まった。時をおかず同じパリで、キュリー夫妻によるさまざまな鉱物を用いた探査から、ラジウムそしてポロニウムと、ウラニウムの他にも放射性元素が存在することが示された。ウラニウム放射線の正体は超高速に放出されたヘリウム原子核であること、それはウラニウムが崩壊して他の元素に変化する際の放射物であることが、次々と明らかになった。このようにして世紀が改まる間際《まぎわ》に、核分裂と高エネルギー放射線の原子核世界が、人類の前にその畏《おそ》るべき姿を現したのである。

ウラニウム放射能の発見から12年、アンリ・ベクレルは白血病で55歳の生涯を閉じた。彼がいったい何百万ベクレルの放射線を浴びたのか、今となっては知る由《よし》もない。

＊＊＊＊＊＊
第7夜
＊＊＊＊＊＊

シラード博士と死の連鎖分裂

いかなる大河もその源流を一筋の流れに遡《さかのぼ》ることができる。始まりはチェコのヨアヒムスタール銀鉱に産するボヘミア装飾ガラスの緑色の原料、ウラニウム元素であった。アンリ・ベクレルによる1896年のウラニウム放射線の発見が源流となり、放射能と原子核物理学の探求が欧州の各地で始まった。美しい緑色ガラスの奥の極微《ごくび》世界に魔力が宿るというのである。研究の流れは勢いを増し、やがてウラニウム核兵器開発の奔流《ほんりゅう》となって、半世紀後の広島の街に凄惨《せいさん》な地獄絵を現出させることを、まだ誰も見通せなかった。

源流からの曲がりくねった川のみちすじがやがて定まるように、原子核エネルギーの封印が解かれて、歴史の悲劇のみちすじが定まったのは、1933年のロンドンの街角においてであった。信号を待っていたハンガリーからの亡命物理学者レオ・シラードに、連鎖核《れんさかく》反応のアイデアが降りてきた。中性子を当てることで原子核を崩壊させる研究が当時各地ではじまっていた。もしその崩壊の過程で中性子が複数出てくることがあるならば、それが別な核の崩壊を引き起こし、それがまた複数の中性子を放出し、という具合に続けざまな核の崩壊の連鎖が起こって、厖大《ぼうだい》なエネルギーが放出されるだろう。

それから10年後、シラードはシカゴ大学のフットボール競技場の地下、アメリカ政府の潤沢《じゅんたく》な資金で作り上げられた秘密の実験炉の前にいた。そこで彼は、同僚のイタリア人亡命物理学者エンリコ・フェルミとともに、濃縮《のうしゅく》を繰り返し純度を高めたウラニウム燃料

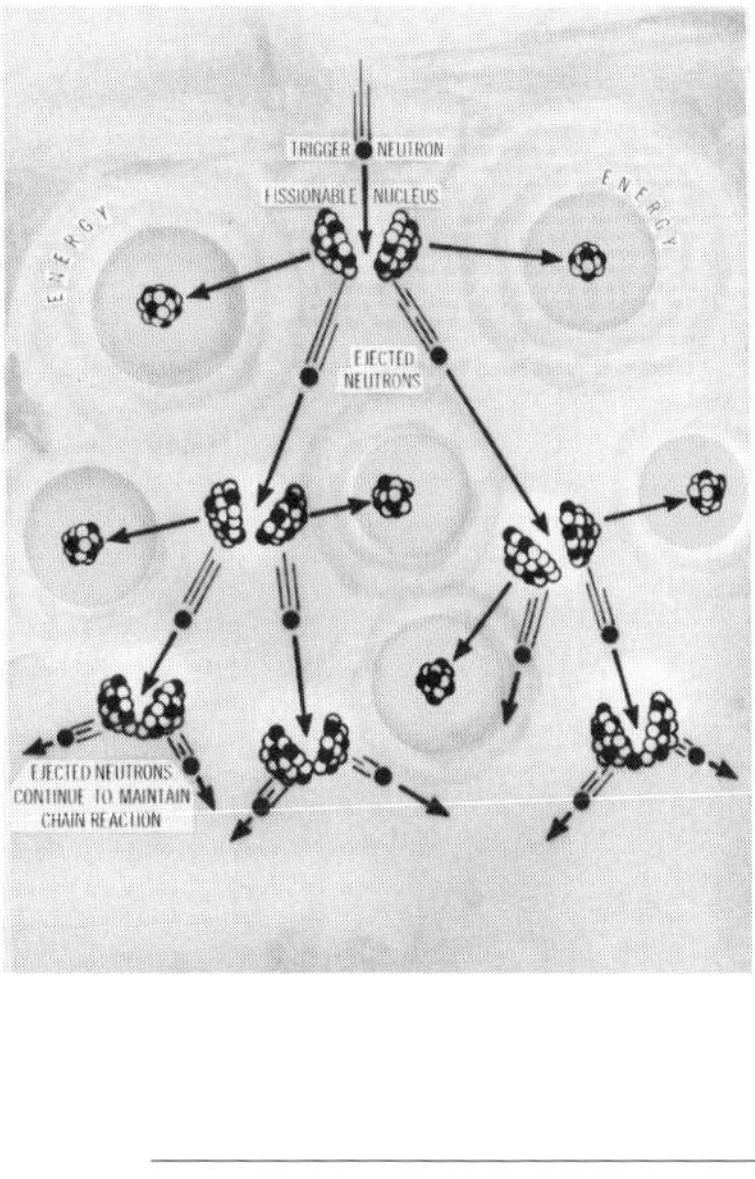

が、理論通りに連鎖反応を起こすのを目の当たりにしたのである。

シラードは急いでいた。歴史の流れは急峻《きゅうしゅん》な渓《たに》にさしかかり、ナチスはチェコに侵攻《しんこう》した。欧州唯一のウラニウム鉱山がすでにヒトラーの手に落ちていた。ドイツに先を越されてはならない、自らにこう言い聞かせて、自らが大量殺戮《さつりく》の使徒となることへの、良心の呵責《かしゃく》を眠らせたのだろうか。こうして核爆弾への一直線のみちすじが開かれた。都市への無警告の核爆弾投下は控《ひか》えるべきだとの、政府首脳に宛てたシラードの書簡《しょかん》が残されている。その願いが聞き届けられることは勿論なかった。それから後の歴史の悲劇は、誰もが知るとおりである。

何故《なにゆえ》にシラードは核兵器の原理を構想したのだろうか。それは核兵器のあまりの強

力さが戦争を不可能にするという信念に発するものであった。そこではH・G・ウェルズの『解放された世界』という小説の影響が決定的だったことを、回想の中で彼自身が語っている。

SF小説の始祖《しそ》の一人であったウェルズは、1914年、第一次大戦直前に出版されたこの小説において、ウラニウムの放射線放出を加速することで作られた兵器について語っている。何日にもわたって繰り返し爆発する手投げ弾として用いられるその核兵器が、あらゆる戦場で使われる。戦争の被害があまりにも大きくなり、人類の文明は破滅の危機に直面する。そこで正気に目覚めた主要国のリーダーたちが、紆余曲《うよきょく》折《せつ》の末、国家の枠組みを越えた世界政府を作り、人類に最終的な平和が訪れるというのである。

H・G・ウェルズの文学的想像力は、核エネルギーの兵器としての活用を、どの物理学者よりもはるか先に予想しただけでなく、核兵器開発の直接のインスピレーションを物理学者シラードに与えたわけである。

芸術が現実世界を模倣《もほう》するよりむしろ、現実世界が芸術を模倣する、と語ったのは

19世紀末の頽唐《たいとう》芸術家オスカー・ワイルドである。しかし往々にして、われわれの現実世界は芸術の無様《ぶざま》な崩《くず》れた模倣である。それはわれわれ現代人にあって、道徳的成熟が知的成熟に追いつかぬことの帰結、社会的知性が技術的知性のはるか後ろを歩んでいる事実の反映なのであろうか。

ウェルズが小説で予想した核兵器は、30年ほど後、より恐ろしい、目を覆《おお》うばかりの酷《むご》たらしい形で実現した。一方その帰結として予想された合理的道徳的な世界政府と平和は、百年してもいまだにその形すら見えない。核兵器は拡散を続け、世界各地の国民国家はふたたび排外色《はいがいしょく》を帯《お》び始め、まるで諸部族が刃を向け合う啓蒙《けいもう》以前の中世に向かって、世界が堕《お》ちていくようでさえある。数千発の核弾頭《かくだんとう》を保有するアメリカの大統領が、源流の地チェコのプラハにて、核廃絶を希求《ききゅう》する感動的演説を行なったのは、一体いつのことだったろうか、今ではまるで夢物語のように思い起こされるのだ。

ウラニウム放射能発見の源流から120年、われわれはその最終の帰結をいまだに目にしていない。人類が原子核エネルギーを支配するのか、あるいはそれに支配されるのか、大河の流れつく大海原《おおうなばら》はいまだに見えてこない。

＊＊＊＊＊＊
第8夜
＊＊＊＊＊＊

エヴェレット博士の無限分岐宇宙

——亡きロブ・ゴンサルヴェス画伯に捧ぐ

この世界はすべて原子から成り、原子の世界ではわれわれの周囲とはだいぶ異なった物理法則「量子《りょうし》力学《りきがく》」が成り立っている。物理学にあまりなじみのない読者諸氏も、お聞きになったことがあるだろう。身の回りの電子製品やＬＥＤ電灯、各種新素材から原子力発電まで、すべて量子力学に基づき設計され動作して、量子力学の正しさには一点の疑いもない。

　ところが仔細《しさい》にみると、量子力学はわれわれの直感に反する奇妙な特徴を多くもっている。その代表が「シュレディンガーの猫」としても知られる「重ね合わせ状態」である。量子力学に従う粒子《りゅうし》は、同時に複数の相反する性質を帯《お》びることができて、粒子が観測された瞬間にそのどれかの状態と確定するのだが、どれになるかは確率的、すなわち時の運次第となる。猫とともに箱の中に入れられた放射性元素が崩壊するとき、放出される放射線が、箱の中を右に進んで壁に当たるか、左に進んで猫を殺すかにわかには確定せず、猫は生きていると死んでいるとの「重ね合わせ状態」にいる。箱を開けて誰かが確認するとき猫の生死がランダムに確定するのである。

原子や電子といった微視的な粒子が、実際に重ね合わせ状態にあることを示す実験は数知れないが、一方これが直感と正気の論理に反する奇妙な話であることも確かである。それまで不定であった粒子の方向が観測した瞬間にでたらめに決まる、などという道理を嘲笑《あざわら》うような原理に従って、世の中が進行しうるのだろうか。世界は悪い意図をもった造物主の作った冗談なのだろうか。

量子力学が完成してその応用が世界を変えていった1920年代から、その非常識に見える側面については、量子力学の創始者の間でも議論が戦わされていた。アルベルト・アインシュタインは、量子力学はさしあたって成功しているだけの仮の理論で、いずれ通常の人間の常識と論理にかなった「微視《びし》世界の真の力学」で置き換わるだろうと考えていた。アインシュタインの表現を借りれば「神はサイコロを振らない」のである。対して「神が何をするか、命令するのはよせ」と答えたニールス・ボーアは、量子力学がわれわれの常識や論理に反していても、原子世界の成り立ちを完璧に説明する以上、事実として受け入れる他にないと考えていた。

時が流れ1957年、依然としてアインシュタインの希求した「真の理論」は現れず、量子力学の応用が世界を満たしていくさなか、プリンストン大学の大学院生ヒュー・エヴェレットが、アメリカ物理学会誌に一つの論文を発表した。そこに書かれていたのは、われわれの基本的論理と直感を維持しつつ量子力学を再解釈する試みであった。

一つの世界の中ではある事象とそれに反する事象は同時に生起《せいき》しない、という至極《しごく》もっともな仮定から出発すれば、二つの相反する事象は二つの別な世界で起こっていると考えるのが自然である。一方で二つの可能性を孕《はら》んだ状態というのは一つの世界におさまるだろう。二つの可能性の重ね合わせの状態にあった一つの世界が、観測にかけられた途端に二つに分岐《ぶんき》して、われわれはどちらかの世界に投げ出される。別のそっくりな世界には別のわれわれがいて、そこではこちらと相反する事象の生起を見届けている。論理学と量子力学を両立させるには、観測のたびに分岐する複数の並行世界が作り出されると考える以外にない。これがエヴェレットの着想した「量子力学の多世界解釈」の核心である。

重ね合わせ状態の選択肢は二つとは限らないし、観測を行なうのは特定の一人の観測者とは限らない。そうであれば世界が進行するに際しては、その無数の各瞬間に、いくつもの多世界への分岐があることになる。世界全体は、ありとあらゆる物質あらゆる生命あらゆる元素の、ありとあらゆる可能な配置を尽くした数えきれない並行世界からなっていて、それらが時間の進行とともに分岐し増殖《ぞうしょく》していく、ということになる。

観測の結果が多くの並行世界への分岐をもたらすと考えることで、量子力学に確率が出てくる理由が自然に理解できる。ある事象の確率は、諸並行世界においてそれが生起している割合だと考えればよいからである。従来の量子力学の解釈で避けられなかった「観測者」の特別な役割も、エヴェレットの新理論では不要である。観測者も含めた全宇宙の量子状態の滑《すべ》らかな発展として、世界の進行を客観的に記述することができるからである。

重ね合わせ状態のパラドクスを回避するために編み出された、この無限に分岐し増殖するエヴェレットの多世界を思い描くには、絶えず分岐して数を増やす小道を考えてみるのがよい。小道たちはやがて街区を埋《う》め尽くし、都市全体を、国々を、大陸と海をおおってしまうだろう。分岐し増殖する小道は、世界そのものと一体化してしまうのだ。

めくるめく多世界分岐という詩的なヴィジョンをもって、量子力学に初めて辻褄《つじつま》のあった直感的な解釈を与えたと、著者エヴェレットは確信した。ところが発表された論文を待っていたのは黙殺と冷笑であった。学会や研究会での彼の講演の後にはただ沈黙のみがあり、セッションの後の彼に話しかけようとするものは一人としていなかった。プリンストンの同僚たちまでもが、論文公開後よそよそしい態度をとるようになったと、エヴェレットには感じられた。エヴェレットの講演に居合わせたコペンハーゲンのある物理学者の日記に、次の一節が残されている。「講演者は言葉にできないほど愚《おろ》かしく、量子力学の初歩さえ理解していないようだ。」

深く傷ついたエヴェレットは、それまで考えていた物理学者としての道に早々と見切りをつけ、博士号の取得後すぐ、国防業界に転じた。そこで彼は数学的才能をいか

70

SERIES XIV.

Engravings of Instantaneous Photographs of the Splash of a Drop of Water falling 40 cm. into Milk.

Scale about $\frac{6}{10}$ of actual size.

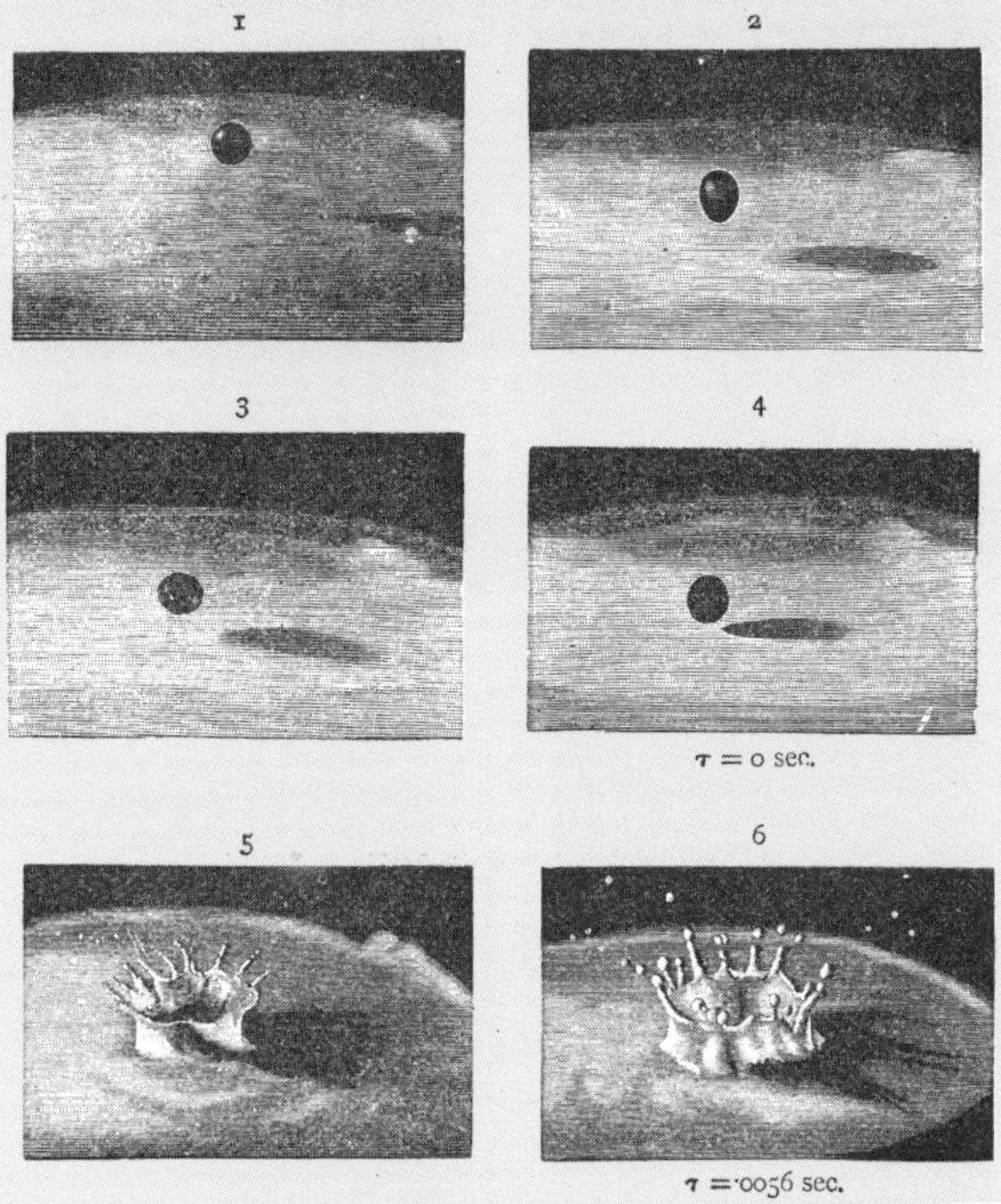

してキャリアを積み、結婚し子宝に恵まれ重要ポストに就《つ》き、富貴《ふうき》の人生を全《まっと》うした。

エヴェレットの理論が広く知られるようになったのは、彼が学界を去った10年ほど後、アメリカの素粒子物理学者ブライス・デヴィットが、多世界解釈に関する意を尽くした解説論文を公開してからである。評価は徐々に高まり、スティーヴン・ホーキングやデイヴィッド・ドイッチュといった著名な理論家が支持を表明して、いまや多世界理論は量子力学の標準的解釈の一つとみなされている。

量子力学の多世界解釈は、そのSF的な奇想のためか、物理学を超えて哲学や文学においても馴染み深いものとなっている。文学の世界との関係でとりわけ興味深いのは、エヴェレットの多世界解釈に先立つこと約15年、1944年にアルゼンチンの作家ホルヘ・ルイス・ボルヘスが出版した『伝奇集 Ficciones』という短編集である。その中に「枝分かれする小径《こみち》の庭園」という探偵小説仕立ての物語があり、そこでは題名の通り、分岐し絶えず数を増やしていく庭園の小道が登場する。

イギリスの林のもとで、わたしはその失われた迷路について思いを巡らせた。

わたしは想像した、踏み荒らされぬ完全な姿で秘密の山頂にある迷路を。水田や流れの下にかき消された迷路を。八角の東屋《あずまや》や曲がった小道ではなく、川や州や王国からなる無限の迷路を。わたしは迷路でできた迷路のことを考えた。曲がりくねりつつ広がっていき、その中に過去と未来を収め、どのようにしてなのか、星々までも含んでしまう迷路のことを。

——ホルヘ・ルイス・ボルヘス「枝分かれする小径の庭園」

ここに見られるエヴェレット的世界観の刻印をどう考えたらいいのだろうか。文学青年だったエヴェレットがこの小説を読んだのか。人づてに話を聞いて影響されたのだろうか。数ある並行世界のどれかでは、アルゼンチンの理論物理学者ボルヘスの考えた多世界解釈を、プリンストンの作家エヴェレットが小説に仕立て上げたのだろうか。幻想詩人の想像力と科学者の発見のこのような交感を見ると、無限の並行世界のいずれに在《あ》っても、量子力学のエヴェレット的多世界解釈が必然的に生起したと思われるのだ。

CORINTHIA
15

数理社会編

首府《メトロポリス》の椅子に坐る権力。放射路を中心する白色恐怖のク・デ・タ（鉄兜《ヘルメット》を被った兵士の顔・二重現像・髑髏の上の鉄兜）支配と奴隷の様式。（中略）十二人の執政官によれる労働祭・共餐の卓に坐る十三人目はアナルシストである。

——吉田一穂「地下鉄のある町」

＊＊＊＊＊＊
第9夜
＊＊＊＊＊＊

確率と錯誤

確率の概念は人間にとって非常に基本的なものである。人は希望を胸に確率の神殿を訪れて、稀《まれ》に確信を、多くは傷心《しょうしん》を抱いてそこを去る。世の中は不確定で不測《ふそく》の事態でいっぱいなので、人のサバイバルには、進化の途上での確率概念の獲得が不可欠だったに違いない。

確率の中心にある概念が「出鱈目《でたらめ》」もしくは「ランダムさ randomness」である。明日は晴れるかもしれず、雨が降るかもしれず、確実なことは言えない。ランダムに起こる不確定な事象に対しては、人間のほうもランダムに、緻密《ちみつ》に考えて対応するより、むしろ気まぐれに自由に対応したほうが、よい結果を招く場合も多い。

例えば「じゃんけん」を考えてみる。ゲーム理論の告《つ》げるところによれば、じゃんけんの最良の戦略は、グー、チョキ、パーを均等に混ぜて出鱈目に出すことである。いやゲーム理論など知らずとも、誰でも経験的にそれを知っている。何かの戦略を練《ね》って出し方をきめると、そのうちパターンを読まれて負け始めるからである。

数年前に中国の王、徐、周の三人の物理学者が、多数の人間の無数のじゃんけんプレーのビッグデータを分析してみた。するとどうも人間は、じゃんけんを完全にランダムにプレーしてはおらず、最初に出す手はグーがチョキやパーよりも数％多く、また繰り返しのプレーでは前回の相手を負かす手を出す傾向があるらしい。特に負けたときにこれが著《いちじる》しかった。これを知っていると、そのパターンの逆を行くことで、統計的に勝ちやすい出し方が見つかるだろう。つまり最初はパーを出すと勝ちやすく、次はこのパーに勝とうとチョキを出す相手にグーを出すと勝ちやすい。適度に出鱈目を混ぜながらこういう風にプレーするのである。

実は筆者はこれを実行しており、最近ではじゃんけんで勝つことのほうが負けることより多いのはここだけの秘密である。あなたも試してみられるといかがだろうか。

しかし人間の癖《くせ》を突いたこのような理詰めの統計的必勝法が広がって一般化したらど

うだろう。今度はそれの裏を読んで勝つプレーが出てきて、今のは必勝法ではなくなるだろう。そしてそれに勝つやり方が出て、という具合にすすむことになる。そのうちこのような計算ずくのやり方はけっきょく損《そん》だと皆が気づいて、しまいに人は、完全に気まぐれに、本当にランダムになるようことさら意を用いながら、じゃんけんをプレーすることになるだろう。

このように考えると、人間の気まぐれは不確定な状況への最適な対応として発生してきたのではないかという、朧《おぼろ》げな推測さえできる。すなわち、世の定めなさこそが人間の勝手気ままな振る舞いを生み出した、とするのである。

気まぐれ、勝手気ままさは、人間の自由という概念の根幹《こんかん》の一つである。正しい理屈に従うのが真の自由というお説教はよく聞くのだが、それは詭弁《きべん》だろう。理屈であれ他人の権威であれ、それに無条件に従うのは隷属《れいぞく》である。身勝手さ気ままさは自由の一部である。福沢諭吉がLiberté《リベルテ》にあてる日本語の「自由」を考えたとき、別の有力候補は「天下御免《ごめん》」であった。世界の不確実性は人間の自由を生んだ一つの契機《けいき》であるに違いない。

第**9**夜

確率と錯誤

＊

確率概念はわれわれの心に深い根をもち、確率的判断は本能の一部である。降雨確率80％と言われて傘をもっていく判断をするのにスーパーコンピュータの助けは要らず、高飛車《たかびしゃ》な恋の相手に告白するかどうか迷って統計学者に相談に行くこともない。日常的場面ではわれわれは各自、ほとんど過《あやま》つことなく瞬時の決断を行なうことができる。

しかし本当にそうだろうか。

次の問題を考えてみよう。金曜の夜の高知市の飲酒運転率は1／1000である。つまり千人に一人の運転者が酒に酔っている（数字はすべて架空である——念のため）。高知県警の飲酒検知器の精度は99％である。逆に言うと1％の割合で間違えるということである。さてお巡《まわ》りさんが夜の街に出て、ランダムに車を止めて検知器をかざすと、ピーピーと飲酒を示す警報が鳴り出した。署まで来てもらおう。ではこの運転者が本当に飲酒運転をしていた確率はどのくらいだろうか。

答えを（1）90％以上、（2）10と90％の間、（3）10％以下、の中から選ぶとすれば、あなたはどれをとるだろうか。

実際にこのテストをやってみると、正解率は思ったよりずっと低い。筆者が教室で行なったら6割近くが（1）を、1割ほどが（2）を選び、正答の（3）を選んだのは、残り3割ほどだけであった。

えっ、9割9分検知器は正しいのだから、検知された運転者は9割9分酔っているのでは？

いま千人の運転者に検知器を当ててみる。この千人のうち、酔っているのは統計的に言って一人である。この一人に検知器を当てるとほぼ確実に警報が鳴る。一方酔っていない999人に検知器を当てると、誤動作で警報の鳴るのが999×1/100で10人ほどとなる。全体で見ると警報の鳴るのは11人でそのうち本当に酔ってるのは一人、つまり検知された人が飲酒していた確率は1／11で9・1％ほどであり、正解は（3）となる。

稀《まれ》な事象に対しては、それに見合うだけの精度で測定をしないかぎり、まちがって検知した偽事象の収集だけで終わってしまう、というのが教訓である。運転者からの多くのクレームで県警は検査を中止し、酔っ払い運転手は検挙もされず、ヤシの並木の夜の街を自由に行き交うことになる。

歴史を紐解《ひもと》けば、過激な反政府運動に悩む政府が、精度の粗《あら》いテロ容疑者捜査を行なった結果、無実の逮捕者で監獄が溢《あふ》れ、政府がいよいよ不人気になってゆく、という例に頻繁《ひんぱん》に出くわす。確率の正しい扱いは社会正義にとっても重要事項なのである。

この例は、確率に関して人間が犯しがちな勘違いの一つ、専門用語で「基準率錯誤《きじゅんりつさくご》」と言われるものである。二つの確率を組み合わせて正しい確率を判断せねばならず、その過程が複雑になると判断停止となる。すると出された確率に近そうな一方を答えにしてしまうという癖が、人間にはあるようだ。判断停止の状況でも、とりあえず行動したほうがよいという条件付けを受けてきた、人間心理の進化的発展の結果なのだろうか。

ここにはまた、稀な危険を大きな重みをつけて判断してしまう傾向も加わっていそうである。リスクを避けて過剰な安全策を取って生き残ってきたという、これも心理の進化的な適応《てきおう》の結果のようである。

第9夜
確率と錯誤

複合した確率に関する人間の心理的錯誤は、他にもいくつもの種類があって、世に行なわれる詐欺《さぎ》の多くもこれを突いたものである。

嘘には三種類あって、嘘、真っ赤な嘘、そして統計である。
——ベンジャミン・ディズレーリ

有用な概念である確率に思わぬトラップが潜《ひそ》んでいるのだ。
ともあれわれわれは、今日も確率を、リスクと利得を、咄嗟《とっさ》に判断して生きねばならない。金曜の夕方もうおそく、くつろぎの待つ家路をあなたは急いでいる。夕空の茜《あかね》に染まった海沿いの道路は空っぽである。速度計は制限速度いっぱい。どこにもパトカーは見えない。あなたは自由である。潮風に陶然《とうぜん》としてあなたはアクセルを踏み込む。瞬間、バックミラーに鮮烈《せんれつ》な赤い光が映る。それははたして沈む夕日の反射か、それともパトカーの警報燈《けいほうとう》か。

＊＊＊＊＊＊
第10夜
＊＊＊＊＊＊

ペイジランク——多数決と世評

人間は社会的動物なので、生きていく上で自分の社会の中での評判というのを絶えず気にせざるを得ない。集団の中での各人の発言の重みは、評判に従って決まってくる。「社会的地位」とまで大きな話にせずとも、小さな仲間内での評判に基づいたポジショニングが、毎日を楽しく生きるのには実は一番重要だったりする。

しかし世評というのはどのように決まっているのだろうか。有能だとか、親切だとか、人を乗せるのが上手とか、他人の評価は個々人の何かの美質に基づいているには違いないが、そればかりとも言えず、なぜ彼女はあんな有能で良い人なのに人望がいまいちなのか、あるいは特に優《すぐ》れたところもない彼の意見がなぜ重きをなすのか、そのような疑問は皆が抱いているだろう。

人の評判を可視化する最も手っ取り早い手段は投票である。細かいことはさておき、まずはざっくり一人一票として「誰が優れているか」の評価を集計して点数にするのがよさそうである。例えば6人からなる社会を考えて、各々の他の人に対するポジティブな意見を矢印で表して、こんな様子だったとしてみよう。

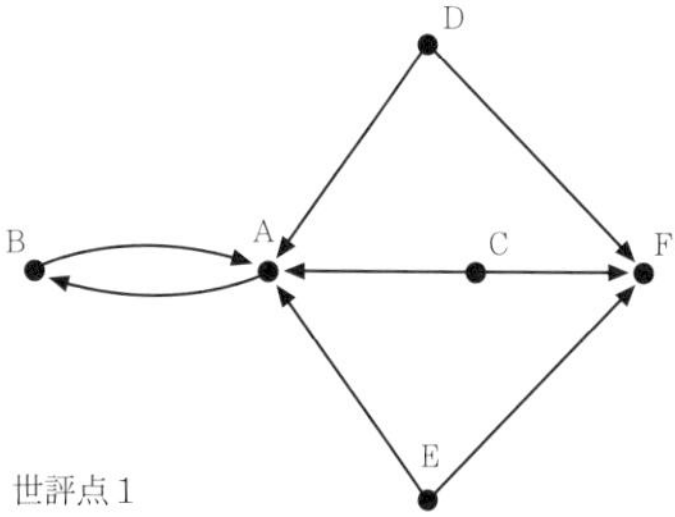

世評点1

一人一票だと考えると、例えば2人を推《お》しているC、D、そしてEから出る矢印は1／2の重みをつけるべきだろう。一方誰にも矢印を出していないFのような棄権者《きけん》もいるだろう。集めた矢印を数の重みも入れて足し合わせたものが各人の「世評点」だと考えると、Aが2・5点、Bが1点、C、D、Eは0点、そしてFが1・5点である。この世評点で人望の順位付けをすれば、この小さな社会ではAの意見が最も重きをなし、ついでFの意見が重んぜられる、という計算になる。この社会の代表と副代表を決めるとすれば、それぞれAとFを選ぶのが民主的で、治《おさ》まりがよさそうである。

でも本当にそうなんだろうか。これに疑問を呈《てい》した二人の青年科学者がいた。ともにスタンフォード大学の博士課程の院生だったラリー・ペイジとセルゲイ・ブリンである。彼らが行なったのは、実際の社会では「世評の高い人」の意見は万事において重きをなすので、それは世評自体を決めるに際してもそうだろう、という観察である。

先ほどの図で考えてみよう。各人を平等にとって仮に計算した世評点自体を重みとして、グラフから世評点をあらためてもう一度計算してみる。世評点2・5だったAから出る線は2・5点、世評点1のBから出る線は1点、世評点0のC、D、Eから出る2本ずつの線は0／2＝0点という具合にして集まった点を計算すると、二度目に計算された世評点はAは1点、Bは2・5点、C、D、E、Fは0点になる。

現実世界での人間の声望《せいぼう》を考えると、通常それが完全に他人の評価のみに基づくということはない。社会が危機に瀕《ひん》したとき、団結して戦うにせよ、相対立して刃《やいば》を向け合うにせよ、人一人はすべて等しく一本の剣となるのだから。人の世評はおそらくは、各人に平等な重み1をあてがったものと、右で二度目に重みをつけて計算したものとの、どこか中間で与えられるだろう。例えばその両者を1：4で混ぜ合わせれば、世評点はAが1点、Bは2・2点、C、D、Eは0・2点で、Fも0・2点という勘

第10夜

ペイジランク——多数決と世評

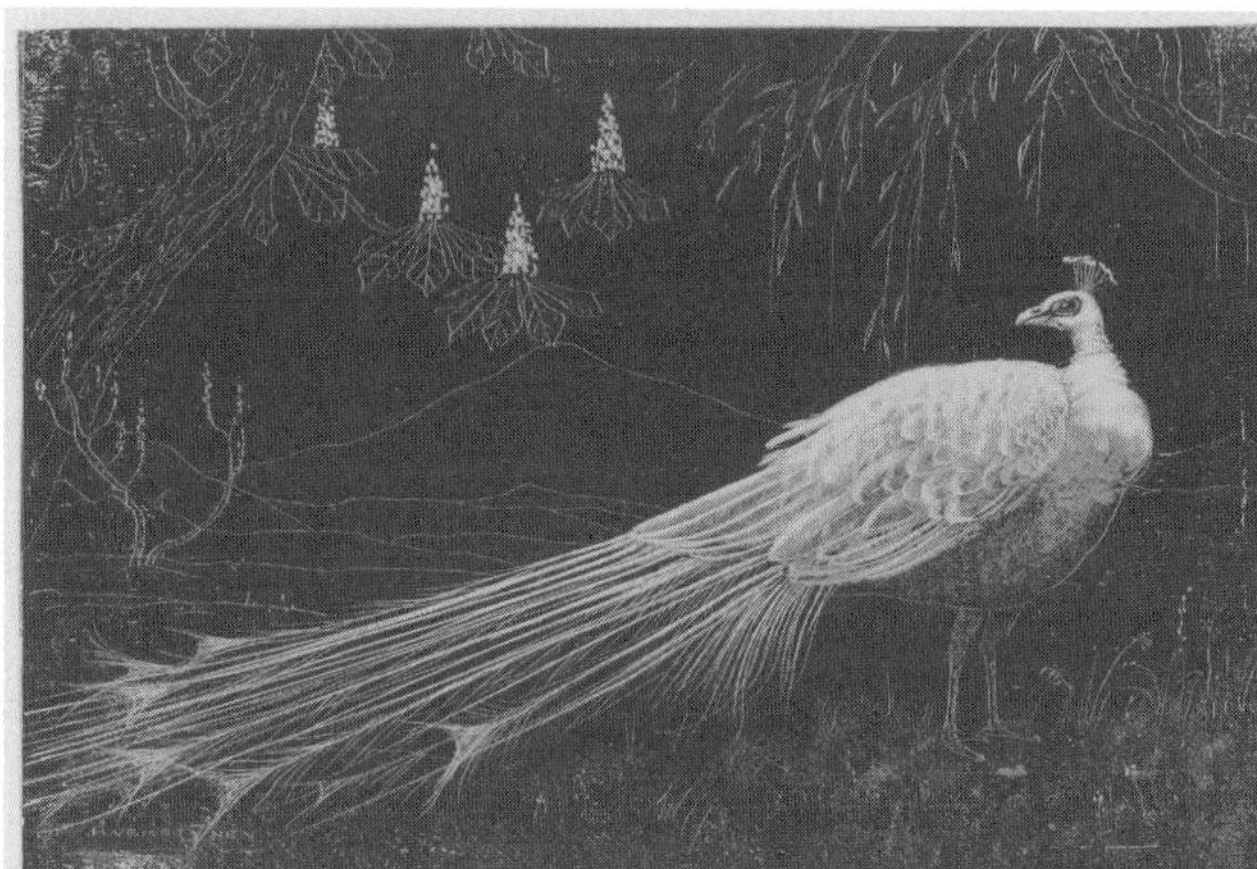

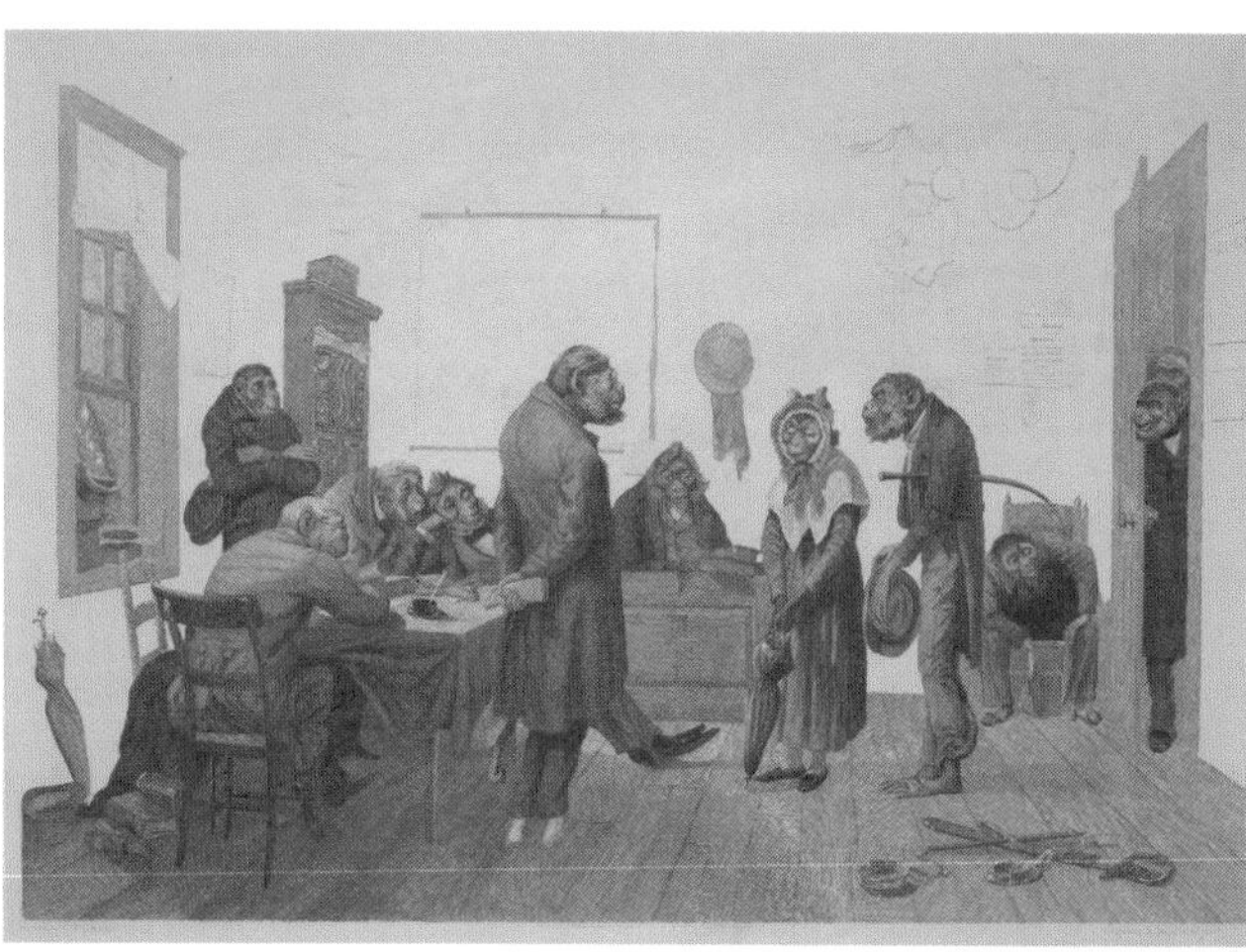

定になる。

少し考えると、今の計算のままではまだ完全ではないことに気づくだろう。矢印を重みづけするのに使うべき世評点に、この新しい数値を使う必要があるだろうから。そうやって得た矢印点を集めた点数と平等な点数を混ぜ合わせて、新たに世評点が計算される。それをまた矢印の重みの計算に、という具合の繰り返しの計算を結果が収《しゅう》束《そく》するまで行なう。するとA、B、C、D、E、Fの点の比率は8.3：7.6：1：1：1：2.2になって、これが辻褄のあった最終的な世評点である。ざっと言って8：8：1：1：1：2のこの比率は、最初のところで単純多数決から得た比率5：2：0：0：0：3に比べて、「評判が評判を呼ぶ」という世論の集積効果を如実《にょじつ》に表している。

この新しい世評点は、一見少し奇妙だが、よく見ると意外に実際の社会の中の発言権の重みを表している。みなさんのまわりにもBの「éminence grise 灰色の枢機卿《すうききょう》」的な影の実力者がいないだろうか。そのBはAと組んで強力な主流派になっていて、わりと票を集めているFを、いわば無力な反主流派の地位に追いやっている。民主主義の社会において往々《おうおう》にして、多数決と実際の発言権の間に絶えず緊張関係がある様を、この世評点がなかなかよく表現しているようでもある。誰もがなんとなく感じてはいても、なかなかにこれと指さすことができなかった「人々の間の関係性」を、数学の言葉がはじめて捉《とら》えたようではないか。

実はペイジとブリンがこの計算手法を編み出したのは、人の評判ではなく、ウェブペイジの評判に関してであって、そこでは矢印はあるウェブペイジから別のペイジへのリンクを表す。世評で辻褄が合うまで重み付けして、このように計算されたウェブペイジの世評点のランキングを「ペイジランク」というのである。彼らはこの方法を詳述した論文を書き、さらに特許をとって、それをもとにウェブペイジの検索エンジンを作った。それがグーグルである。

グーグル検索は、多数決をベースにした各種検索エンジンより優れているとの評判を得た。評判は評判を呼び、瞬《また》く間にグーグル社はインターネット上での覇権《はけん》を確立した。世界中のウェブペイジの検索順位がこのペイジランクで決められている。インターネット上で世評の高い

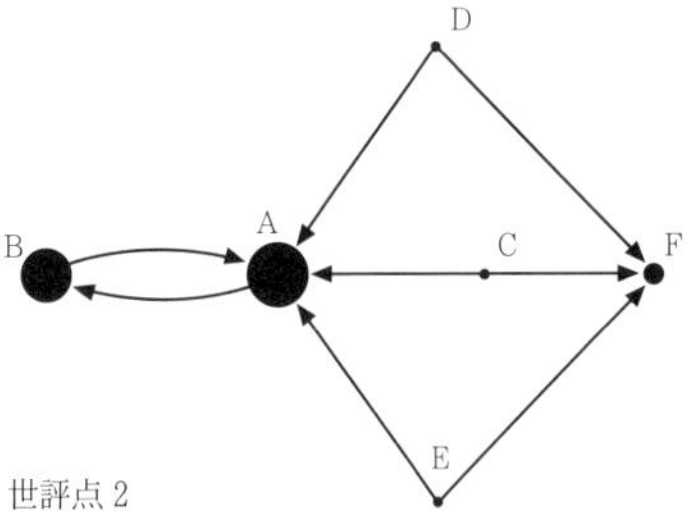

世評点2

ウェブペイジを探すのに、今では誰しもグーグル検索に頼りきっている。その独占ぶりはもはや、自由を尊《とうと》ぶ人々の恐怖を掻《か》き立てる段階なのかもしれない。一編の論文に込めた数学の力だけで世界を征服したペイジとブリンのもとには、今日も天文学的な富が流れ続けている。

＊＊＊＊＊＊
第11夜
＊＊＊＊＊＊

付和雷同の社会学

フランス語に「パニュルジュの羊みたいに」という表現があって、付和雷同《ふわらいどう》する様をさす言葉である。智慧《ちえ》者のいたずら屋パニュルジュの物語に由来するのだという。彼を笑い者にした商人から、リーダーと思《おぼ》しき羊を一匹買い取ったパニュルジュが、すぐさま羊を海に投げ込むや、残りの羊もみな海に飛び込んで、商人は大損《おおぞん》をしたという故事である。

人間誰しもの心には、多かれ少なかれ付和雷同の習性が根深く巣食っている。パニュルジュならぬわれわれはむしろ、付和雷同心を逆手にとった賢い商人たちの宣伝にのって、日々細々と損をする消費者となったりする。

ものごとを決めるときに他人の判断に頼る傾向と、それがもたらす社会的な帰結については、数理物理学的社会学の大家、ダンカン・ワッツ博士の有名な研究を見るのがよい。「人工的文化市場における不平等と予測不能性の実験的研究」と題された２００６年の論文で、アメリカの「サイエンス」誌に掲載されている。

ワッツ博士のグループは、インターネット上に音楽ダウンロード・サイトを作った。サイトの訪問者は1万5千人近くに上り、彼らが被験者となったわけである。訪問者はみな、18組の新人アーティスト・グループの手になる48曲のリストを見せられる。曲はどれも試聴可能で、訪問者は曲に1から5の評価をつけたのちに、1曲ダウンロードできるという仕組みである。訪問者たちは、彼ら自身気づかぬ間に、９つあるグループのどれかに振り分けられる。振り分けられた各訪問者の画面には、それぞれのグループ内での曲の評価の集計が、ポイントとして表示されるようになっている。つまり各訪問者は、それまでの他の訪問者の評価の集計を見ながら、自分の評価を下すわけである。ところが第1のグループだけ特殊で、ここでは他の訪問者の評価は表示されない。つまり第1グループでは訪問者は自分の耳と感性だけで曲を評価するわけである。そして残りの8つのグループは、同じ0評価から出発して、他人の意見を見ながらの評価が積《つ》もっていく、いわば8つの並行世界

Solom "Stjarna"	Miesiac "Gwiazda"	Maand "ster"
Heilalogregla "Kottur"	Apokalipsa piekla "Szpic"	Hond "kat"
Gdzie "Dziwny swiat"	Kwiat "Tulipany"	Meneselijke stoel "Lasica"

第1のグループが見せられたもの

Solom "Stjarna"	20	Miesiac "Gwiazda"	11	Maand "ster"	12
Heilalogregla "Kottur"	33	Apokalipsa piekla "Szpic"	7	Hond "kat"	17
Gdzie "Dziwny swiat"	14	Kwiat "Tulipany"	22	Meneselijke stoel "Lasica"	51

第2～9のグループが見せられたもの

となる。

実験結果を一言で言うと「付和雷同の心が超人気曲をランダムに生み出す」である。各人が独立に判断する第1グループでは、人気のある数曲、全《まった》く人気のない数曲、その間にある中間的評価の多くの曲、と評価の分布はなだらかであった。一方他人の評価を見ながらのグループでは、数曲の非常に突出《とっしゅつ》した人気曲があって、それらが残りの一般曲を圧倒していた。

実験は2回に分けて行なわれ、最初の実験で訪問者が見せられるのは、3行に分けてランダムに並べられた曲の表であった。一方2回目の実験では曲は評価の数字の大きい順に1行に並べられた。1回目の実験で見られた人気曲とそれ以外への分極は、2回目の実験ではより極端になって観測された。

技術的に言うと、観測された曲の人気分布のジニ係数は、1回目の実験ではおよそ0・4、2回目の実験

Slava zlozvyku “Hromadu jehel”	101
Casablanca “Kwiat”	88
Meneselijke stoel “Lasica”	51
Peklo “Schody do nieba”	48

2回目の実験で見せられたもの

では0・5を超えるほどであった。両方の実験とも他人の評価を見ない参照データとなる第一グループでは、ジニ係数は約0・25であった。

ちなみに読者諸氏の多くもご存知のとおり、ジニ係数というのは、すべての曲が同じ投票数ならば0、一曲だけに全投票が集まる場合に1となる、不平等さの度合いを測る統計量である。

面白いのは、全グループ共通の人気曲がある一方で、各々のグループだけで大人気となる曲も必ず見られる点である。全グループで不人気な曲というのも見つかる。全グループ共通の人気曲や不人気曲は、他人の判断を参照しない第1グループでも、やはり人気曲や不人気曲として登場する。これらは誰しもが認める名曲そして駄曲と見《み》做《な》せるだろう。そして各グループごとに特有なバラバラの人気曲のほうは、おそらくは「人気があるから人気がある」という付和雷同の群集心理が作り上げた、「内的価値に基づかない人気曲」と考えるべきであろう。

初期段階である曲にたまたま高評点が重なって、雪だるま式に評価を上げて大人気曲へと成長する、というわけである。どんなに手を尽くしてもあらかじめヒット曲を予測できない、というのが音楽業界の悩みであるが、これもそう考えると納得できる。

音楽をはじめとした芸術芸能、あるいは言論界や政治の世界まで含めて、みなの人気投票で優劣を定める分野は、「少数の天才」と「凡庸《ぼんよう》なそれ以外」にはっきり二分される世界になりがちで、名声、収入、権威もそれに従って分配される習《なら》わしになっている。しかしながらワッツ博士たちの社会実験から判断すると、この鋭い二分は、才能や適性の分布に起因するというよりも、われわれ人間の付和雷同の心によって発生する、社会的な構成物だと考えたほうがよさそうである。

成功は才能と時の運、というわけである。

と、こういう話を夕食どきに家人に向かって喋《しゃべ》っていたら、

——学者って面白い人達ね。そんなの誰でも知ってることじゃない。ネイチャアとかサイエンスとか、常識をご大層な実験で確認するそんな論文でいっぱいなわけ？

という答えが返ってきた。

——いやまあ、そうかもしれないけど、きちんとコントロールされた再現可能な条件で、科学的に行なわれた実験ってのは、ただのお茶飲み話とは少しは違うし。それにこういう風にジニ係数とか使って定量的にできるようになったら、これそのままマ

ーケティングとか世論誘導とか、いろいろ実用的な応用があるだろうし。

と、私も一応抗弁《こうべん》を試みる。予想通り家人からきっぱりとした言明が返ってきた。

――そうやって精密にして、数理社会学だか社会物理学だか知らないけど、科学的な道具に仕立て上げたら、その使い道が営利企業のマーケティングなのね。それとなんでしたっけあの、ケンブリッジなんとかの、アメリカ大統領選で世論操作を主導したコンサルティングファームとか。まあ物理学者や数学者のダークサイドへの堕《お》ち方もいろいろね。

これ以上は夕食の場に不適当なことが明らかだったので、先週末に行った足摺《あしずり》の先の柏島《かしわじま》の、透明な海の上に飛んで見えた船の情景に、あわてて話題を切り替えた。

自らの判断がつきにくい事項について、多数の他者の判断を参考にしてものを決める習性は、おそらくは長い先史時代に人類が獲得した形質なのだろう。そこでは狩りの獲物についても果実の豊富な茂みについても情報が乏《とぼ》しく、他者からの伝聞は貴重な判断材料であったはずだ。また集団の素早い意思統一のためのメカニズムとして、付和雷同の心性はとても効率的である。競合する敵対的集団に囲まれた原始部族社会で、これは組織防衛上必要不可欠のものだったろう。

人間に限らず広く動物界を見ても、多数の他者の判断に従う行動は、多くの場面で種の繁栄にとって有利だったに違いない。それは8の字ダンスで方向を伝えて、瞬《また》く間にコロニーの皆が良い餌場に殺到する、ハチたちの習性を見ても明らかである。

インターネットで万人がつながった今の世で、人間だれしもがもつ付和雷同の心性が、時として暴走して大小の不都合をもたらす様を、われわれは日々目撃している。おそらくそれは、食料調達が困難であった先史時代に適応した人体が、飽食《ほうしょく》の現代に不適応を起こして、世に肥満が蔓延《まんえん》するのと類似の現象なのだろう。

不都合を正すにはことがらの正確な理解が前提になる。数理的な社会学のメスがもし本当に価値のあるものならば、それは私企業の営利追求の手助け以外にも用いられるだろう。社会制度の賢い設計を通じて、人々が宣伝や世論操作のたやすい餌食《えじき》となり、パニュルジュの羊のように次々入水《じゅすい》するのを防ぐ手立てが見つかるだろう。

今一度われわれ科学者が、ダークサイドから這《は》い上がる時が来るであろうか。その時こそはすべての家庭の夕餉《ゆうげ》どきに、こうした話題を平和に持ち出せるようになるのではないか。

＊＊＊＊＊＊
第12夜
＊＊＊＊＊＊

三人よれば文殊の知恵

あやまちは誰にでもある。しかし世にはあやまちが決して許されず、完璧に近い精度が要求されるものごとが多くある。道路の赤信号が誤作動して青になることは、たとえ百万に一でもあってはならないだろうし、銀行の出入金管理は最後の一円に至るまで、常に正しいことが期待される。われわれの業界でいえば入試成績の取り扱いなどもそうである。

そのような場合によく行なわれる対応が、判断者を単体ではなく複数にして事にあたるやり方である。いま探偵事務所に偽札の鑑定の依頼が来たとしてみよう。所員である探偵と秘書と探偵見習いの三人とも、偽札の扱いはお手のもので、9割の確度で正しく行なえるとする。三人がそれぞれ互いに影響されずに独自に鑑定を行ない、結果を付き合わせて、齟齬《そご》がある場合は多数決で鑑定結果を出すことにしたらどうなるであろうか。

三人ともが正しい判断をする確率は0.9×0.9×0.9＝0.729である。二人が正しく一人が間違える確率を考えると、まず特定の誰かが間違えて後の二人が正しい確率が0.1×0.9×0.9＝0.081なので、誰が間違えるかに探偵、秘書、見習いの3通りあることを考えれば、それは3×0.081＝0.243である。結局三人で鑑定を行なって二人以上が正しく判断する確率は0.972となる。

つまり一人で9割の正確さでできることを三人で行なって多数決を行なうと、その確度は9割7分以上に向上する。もし各個人の確度が9割5分だったとしたら、三人による多数決の確《かく》

度《ど》は、同様のやり方によって、9割9分を超えていると計算できる。「三人よれば文殊《もんじゅ》の知恵」と言った昔の人は、当然この事実に気づいていたのだろう。判断する人数を三人でなく五人、七人と増やすとさらに精度が上がってくる。

インターネット上のデータのやり取りでは、同等なデータを複数送ってはところどころで多数決をとる「エラー補正アルゴリズム」が必ず内蔵《ないぞう》されている。実際エラー補正なくしては、通信に混入する雑音のために、安心して通販の注文もできないことになる。

さてここで、読者諸氏にクイズをやってもらうことにしよう。まず直感的に答えてみて、それから確率計算に慣れている人は、鉛筆を動かして数字を出してみてほしい。

探偵事務所に偽札鑑定の依頼があって、所員三人での多数決で鑑定を行なうところまでは同じだが、探偵と秘書は9割の確率で正しく偽札をみやぶれるが、探偵見習いの鑑定力が少し劣《おと》っていて、6割の確率で正しい判断ができるとしてみる。この場合、正解率9割の探偵か秘書どちらか一人に業務を全部任せるのと、三人が集まって多数決で判断するのと、どちらが上策だろうか。

いきなり答えを言う前に、ヒントを差し上げよう。

右の問題の判断力が低い見習いを、デタラメにボタンを押して答えを出すサルで置き換えてみる。サイコロの目で答えを出すと言っても同じである。サルはお札《さつ》を見さえしないので、その判断は当たるも八卦《はっけ》当たらぬも八卦で、正答率は5割となる。9割の正答率をもつ探偵と秘書に5割の正答率のサルを加えて多数決をとると、正しい判断に至《いた》る確率は増えるだろうか、それとも減るだろうか。

探偵と秘書の判断が割れた場合には、サルの答えによってランダムに、どちらか一人が多数決に勝ち、その人の判断に従うことになる。これをよく考えてみたら、実はサルはなんの役割も果たしていない。いずれにしても鑑定に当たっているのは、確率9割で判断できる探偵か秘書なのである。つまり確率5割で判断が当たるサルを多数決に混ぜても、混ぜない場合にくらべて判断の精度は上がりも下がりもしない。

いまや問題の答えは明らかであろう。ヒントでは正答率5割のサルを考えたが、問題ではこれが6割の見習いに置き換わる。だとすれば状況は改善されているはずである。つまり正答率9割の探偵ないし秘書が一人で判断する場合よりも、正答率9割の探偵と秘書の二人に、正答率6割の見習い一人を加えて多数決で鑑定を下したほうが、より正確な判断ができることになる。

きちんとした数字がほしい人のために書くと、三人ともが正しく判断する確率は0.9×0.9×0.6＝0.486、二人が正しく判断して一人が間違う場合が三つあって、それぞれ確率が0.9×0.9×0.4＝0.324、0.9×0.1×0.6＝0.054、0.1×0.9×0.6＝0.054となるので、多数決で正しい判断に至る確率は0.486＋0.324＋(2×0.054)＝0.918、すなわち9割2分弱である。

いくらダメな奴に見えても、デタラメを出すサイコロよりましならば、やはり仲間に加えて一緒に仕事をしたほうがいい、というのが結論になる。

筆者は少し前に、インターネット上の不特定の250人ほどの人々を対象に、これと同じクイズを行なってみた。計算しなくてもいいから直感的に答えてほしい、という注意書きとともに。結果はほぼ半々で、「判断力の少々低い人も加えて多数決を行

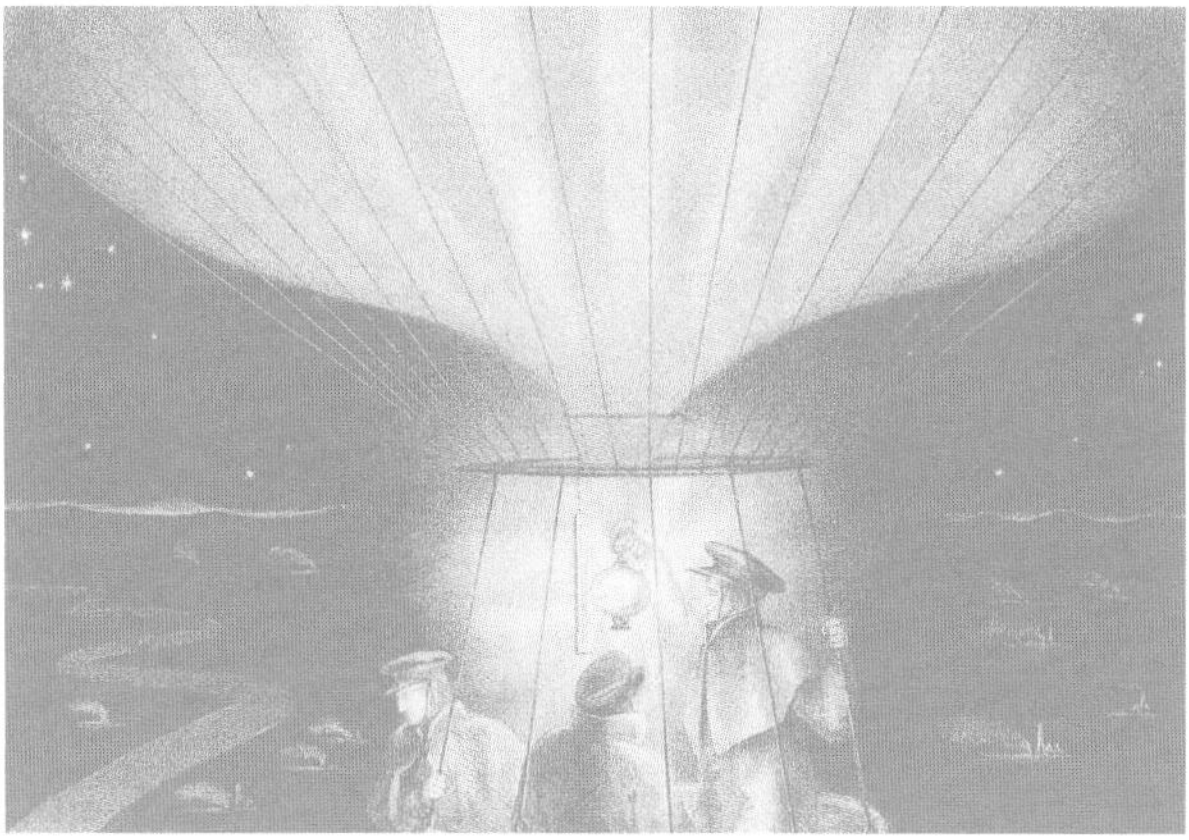

なうのがよい」と正しく答えた人が51％、「判断力の低い人は排除して事に当たるほうが有利」と感じた人が49％であった。

これをみるかぎり、どうやら人々は、多数の合意を必要以上にないがしろにするようであり、相対的に能力の低い人に必要以上に不《ふ》寛容《かんよう》なようでもある。これがネット上で露《あら》わになる人々の特質なのか、あるいは時代を反映した現代人全体の傾向なのか、はたまた昔からの人間の性《さが》なのか、それは筆者にはわからない。

——三人よれば文殊《もんじゅ》の知恵

いずれにせよしかし、このありがたい言葉を、今一度かみしめようではないか。

＊＊＊＊＊＊
第13夜
＊＊＊＊＊＊

多数決の秘められた力

　多数意見というものは、どのようにして生まれてくるのだろうか。誰にとってもこれは大きな関心事である。実際身の回りを振り返っても、われわれの時間の大きな割合が、職場や家庭の各人の考えをどう集約していくか、という問題に費《つい》やされている。

　社会の多数意見の形成の過程に、何か数学的な法則のようなものはないのだろうか。人間は個々には自由意志をもち、予測不可能な決断を行なうこともあるが、多数が集まるとき、ちょうど多くの原子が集まって水や塩や金属になるときと同様に、何か簡単な法則が立ち現れるのではないか。そう考えて「世論力学」というものを考案したのが、フランスはパリの理工科大学、エコール・ポリテクニークの理論物理学者、セルジュ・ガラム博士である。

第13夜

多数決の秘められた力

世論力学の出発点は、われわれの周囲で日常的に行なわれる民主主義的な多数決選挙の、突き放した観察であった。

多数決の通常の数学的正当化は「三人よれば文殊《もんじゅ》の知恵」の原理に基《もと》づいている。判断の確度が5割以上ある人たちを集めて、各人独立な曇《くも》りない意見を持ちよって多数決を行なえば、人を増やすにつれ10割にいくらでも近い判断の確度が得られる、というのである。この原理を発見したのは18世紀フランスのコンドルセ侯爵《こうしゃく》であるが、事情はインターネット直接民主主義の効用が唱えられている現在でも変わっていない。

ところが往々《おうおう》にして、民主的選挙の実態はそんな想定とはかけ離れている。何かの議題が持ち上がったとして、おそらくは素人《しろうと》であるわれわれの大部分は、考えたとて何か良い判断ができるわけでもない。さらにわれわれは他人の意見に左右されやすく、たくさんの人の意見を集めても意外とどれも口真似ばかりだったりする。結果として、定見《ていけん》と確信をもった少数の人の判断が、瞬《またた》く間に多数に広がることになる。

ガラム博士は、民主主義の古典的理念よりもむしろ、この実態を模写した数理的なモデルを組み上げることを通じて、多数決の働きを理解しようとしたのである。

ガラム理論では、賛否の意見をもった個々人がたくさん集まって多数決に参加する状況を想定し、その際すべての個人が二つのタイプのいずれかに属すると考える。定まった意見があって常に賛成または反対の意見を持ち続ける「固定票タイプ」と、他人の意見を絶えず参考勘案《かんあん》して賛成反対を決める「浮動票タイプ」である。

浮動票タイプの個人は、最終的な判断に至《いた》るまで自分の意見を何度か変えるが、その度に数人の意見を参考にすると想定される。われわれ自身何かの賛否を決める際、定見があったり強い利害があったりする場合は別にして、新聞やテレビやネット、友人同僚の意見を徴《ちょう》するなどするものだが、通常そんなに熱心に調べて回るわけでもない。通販でものを買う際レヴューを読むにしても二、三ほど見て済《す》ますのが常である。ガラム博士は大胆にも、この「数人の参考意見」を「ランダムに集まった自分も含めた三人による多数決」に従った意見の変更、と見做《みな》すことにした。

このような各人の意見の調整、変更が繰り返し断続的に起きて、集団全体の賛否の比率が安定になるまで続くと考えるのである。ガラム博士はこの過程を確率分布の時間発展を記述する方程式で表した。そしてそこからいくつかの興味深い結論を得た。

第13夜

多数決の秘められた力

（1）それによるとまず、固定票タイプがいない浮動票タイプだけの社会では、意見の調整が進むにつれて、賛否いずれかが優位になって最後は全員賛成、もしくは全員反対になる。このときどちらに傾くかは、最初の意見の分布で、賛成派が5割を超えているかどうかで決まる。つまり浮動票タイプが意見の人真似をしていく過程で、賛否の差が拡大して、最初の多数派が勝つことになる。

（2）固定票タイプが少し混じっただけで、賛否の分布に与える影響は大きい。例えば「常に賛成」の固定票タイプが5％いるとき、たとえ最初に70％が反対であっても、ランダ

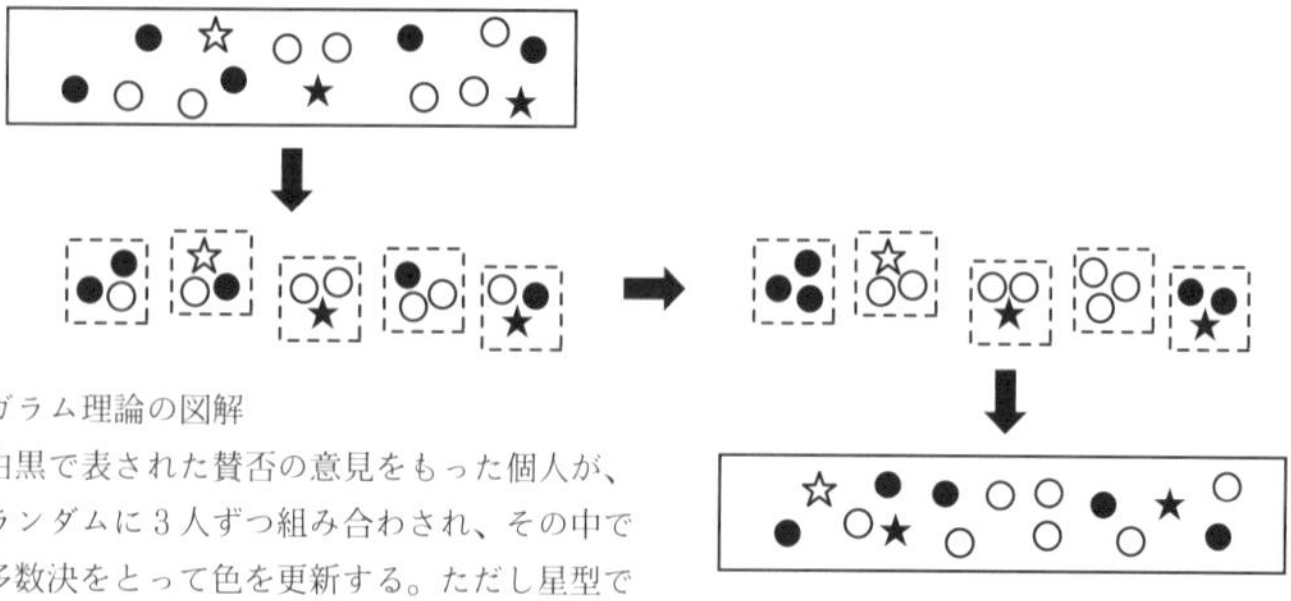

ガラム理論の図解
白黒で表された賛否の意見をもった個人が、ランダムに3人ずつ組み合わされ、その中で多数決をとって色を更新する。ただし星型で表された固定票タイプの個人は多数決に従わず自分の色を維持する。更新が終わるとグループはバラバラに解散する。このプロセスを白黒の比率が安定するまで繰り返す。

ムなグループに分かれての意見の調整を経ると、最終的には全員が賛成派となってしまう。

（3）固定型の人が17％以上混ざっていると、彼らは無敵である。つまり17％だけ絶対賛成派の固定票タイプがいたとすれば、残りの浮動票タイプの人全員が反対から始めても、時とともに全員が賛成派になってしまう。

ちなみにここでマジックナンバーのように出てくる17％、すなわち数0・17であるが、これは正確には$3-2\sqrt{2}=0.1715\cdots$である。この数自体はランダムに三人で意見を調整する、という特定の仮定に依存して出てきたものである。例えば三人を五人に変える等の変更を加えると、17という数自体は少々変わってくる。しかし本質的な結論は不変である。まわりと意見交換をしながら社会全体の意見を調整する「民主的手続きを踏んだ」多数決を行なう場合、2割にも満たない確信をもった少数派の意見が、残りの一般有権者全体の意見に優先することが起こるのである。

自ら判断する多数者の統治が廃《すた》れるとき、民主制のもとでの少数者独裁が立ち現れる。

エネルギー産業であれ、医師会であれ、農協であれ、タバコ産業であれ、確信をもった少数派が不思議に強大な影響力を振るっているのはなぜなのか。多数決選挙の実際が多くの場合、善悪損得を冷静に判断する独立した個人の集積というよりも、強い動機をもった人々の集団による「一般有権者」の奪い合い、といった様相を呈《てい》するのはどういうことか。そのようにまわりを見渡して民主政治の実態を眺《なが》めると、善《よ》かれ悪《あ》しかれ、色々とガラム世論力学の描像《びょうぞう》に符合《ふごう》することが多いのではないだろうか。

最近ときどき耳にする言葉に、「熟議《じゅくぎ》民主主義」というのがある。専門家を交《まじ》えた少数の集まりによる議論の積み重ねを、集団の意思決定の場で活用する動きを指すようだ。これはガラム世論力学に描写された過程を、意識的に制度化する試みのようにも見える。

ガラム世論力学は、民主的多数決による集団の意思決定以外の問題でも力を発揮する。

「ザイラノール」と「ニスピリン」の二つの頭痛薬が、薬の通販サイトで売られてい

第13夜
多数決の秘められた力

たとしよう。ザイラノールには薬学的に効能《こうのう》の証明された成分がいくつか含まれているが、ニスピリンのほうは高価な有効成分は皆無《かいむ》の気休め薬のようだ。その代わりニスピリンの会社は強力なIT宣伝部門があって、SNS上で積極的に効用を謳《うた》っている。通販サイトにも、売れる前からサクラを使って、ニスピリンを推《お》してザイラノールを貶《おとし》めるコメントをいくつか書き込んでいる。ザイラノールのほうはといえば、良いものは売れるとばかりの古風な殿様商法である。

もし薬を買いにサイトを訪れるのが全員医学知識のないど素人《しろうと》であったらどうだろう。ほぼ全員が書かれているレヴューを二つ三つ読んでニスピリンを買っていくだろう。その内で（多分プラシーボ効果で）効いたと感じた人が良いレヴューを残していくだろう。後に来る人ほど高評価を見て、いよいよニスピリンばかり売れる嘆《なげ》かわしい状態が続くだろう。

仮にサイトを訪れる全員が、医者や看護師、薬剤師といったプロばかりだとしてみよう。サクラの中身のない意見などは読み飛ばして、薬の成分表を比較した上で、ほぼ全員がザイラノールを買っていくだろう。そして一部の親切な人の書いた「たしかに効いた」というレヴューがゆっくりと積《つ》もっていくだろう。

実際に起こることとは、この両極端の中間となろうが、ガラム世論力学からは次のように予想されるだろう。薬の成分表が読めるプロの比率が17%程度以下なら偽薬ニスピリンがよく売れて、プロの比率がそれ以上ならザイラノールのほうがよく売れる、と。そして実際にそれと同等な社会実験が行なわれ、予想通りの結果を得たとする学術的論文が、既《すで》にいくつか出版されているのである。

つまり声評の世界では、良貨《りょうか》は17%以上あるときに、悪貨《あっか》を駆逐《くちく》することができるのである。

多数決による集団的意思決定は、コンドルセが指摘したとおり、ものごとによく通じた者たちが多く集まるときに力を発揮する。それはまた、十分な知識をもたない多くの人に混じって少数の賢者がいる場合にも力を発揮する。民主主義は最悪の制度であるが、これまでに試された他のどの制度よりも良い、と言った英国人には本当の知恵があったと言わざるを得ない。

ガラム博士は現在、日本に共同研究者を得て、複数の対立する少数者たちの織《お》りなす多数決世界の考察、すなわち政党政治の力学理論の構築を進めている。

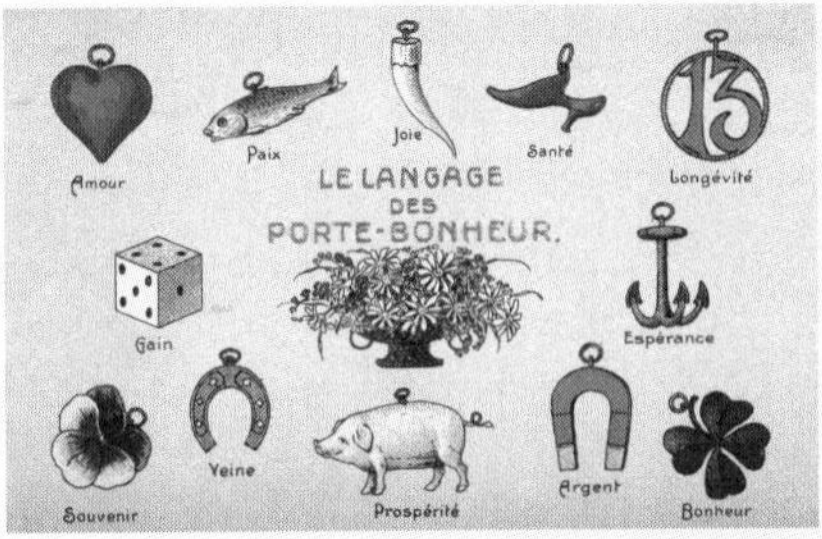
Amour
Paix
Joie
Santé
Longévité
LE LANGAGE
DES
PORTE-BONHEUR.
Gain
Espérance
Souvenir
Veine
Prospérité
Argent
Bonheur

倫理編

潮の流れ、船は傾き帆走する。
コンパス圏《けん》を衝《つ》いて、何処へ行く。
舷に身をのり出して、
死を賭ける否定と意志の《人間》の自由！

——吉田一穂「Ave Maris Stella」

＊＊＊＊＊＊
第14夜
＊＊＊＊＊＊

思い出せない夢の倫理学

人が夢から醒《さ》めたとき、思い出そうとする端から、夢は溶《と》けるように去ってしまう。誰しも覚えがあるだろう。英国詩人サミュエル・テイラー・コールリッジは、夢の中で奇跡の長詩《ちょうし》を授《さず》かったが、起床《きしょう》ののち全部は書き留めきれず、残された断章が神韻《しんいん》「クブラ・カーン」となった。

In Xanadu did Kubla Khan
A stately pleasure-dome decree :
Where Alph, the sacred river, ran
Through caverns measureless to man

第14夜

思い出せない夢の倫理学

Down to a sunless sea……

上都《じょうと》にて　クブラ・カーンは　命じたり
豪奢《ごうしゃ》なる　逸楽《いつらく》の宮　建つべしと
かの地には　聖なるアルフの　川流れ
人智《じんち》には　数えおよばぬ　洞《ほこら》抜け
日もなき海へ　落つると聞けり……

人は起床直後に、直近30秒ほどに見た夢を覚えているのが常《つね》である、と京都大学の脳神経科学者、神《かみ》谷《たに》之《ゆき》康《やす》博士は語る。長大な夢も一瞬のような時間に圧縮されるのだろうか。

ブレイン・デコーディング（脳信号解読）の研究で有名な神谷博士のグループでは、脳の電気信号をディープラーニングを用いて解析することで、人が脳内に思い描いたイメージをコンピュータ上に再現することができる。体内血流活動測定装置ｆＭＲＩの中で睡眠をとった被験者は、目覚めるとすぐ、夢で何を見たかを報告する。眠っている間中、被験者の脳内活動はリアルタイムで信号処理され解析され、そこから彼らが見ているはずの諸イメージが推定できるようになっている。

この設定で実験を行なうと、被験者が「ナイフをもった人魚がいた」と報告したとき、彼の起床直前30秒ほどの脳信号から「ナイフ」「女」「水」のイメージが見事に抽出《ちゅうしゅつ》されてきている、という具合である。つまり夢で見たこれらのイメージは、神経科学的な実体をもって、大脳中にたしかに存在していたのである。

ところがここで面白いのは、30秒より前の脳信号である。機械学習プログラムは、30秒以前の脳信号からも、脳内で様々なイメージが生起していることを示し続けている。しかしそこに現れるイメージと、被験者が起床後に報告する夢の中の登場事物とは、全く相関《そうかん》が見られないのである。これはどういうことだろうか。

――思い出されることのない夢。

人は起きる前ずっと夢を見ているが、直近30秒ほど以前のものは忘れ去られてしまう、とするのが、この実験結果の最も自然な解釈であろう。何か定《さだ》かでない、思い出せそうでできない、忘れられた夢の残り香《が》のようなものを、われわれ誰しも感ずるこ

第14夜
思い出せない夢の倫理学

とがある。忘れ去られる定めの夢を満たしているのは、ただのランダムなイメージなのか、それともわれわれの意識のかけら、心の奥底の希求の残基《ざんき》なのだろうか。思い出されることのない夢はなぜ存在するのか。それは存在すると言えるのか。本人にとって非在である夢を、他者がディープラーニングによって掘り起こし、存在へと転ずることが許されるのか。

情報技術の社会への浸透で、個人の内面が容赦《ようしゃ》なく晒《さら》され、本人の気づかぬうちにデータとして、誰かのコンピュータに蓄積されていくのは、多くの人にとって恐ろしいことである。自分自身知ることも叶《かな》わぬ忘れられた夢まで暴《あば》かれるのをみて、呆然《ぼうぜん》と立ちすくむ以外、われわれに何ができるのだろうか。脳の中の認知過程を探る科学は、認識とは何か、意識とは何かといった根源《こんげん》的な哲学問題に直結する、と神谷之康博士は語る。カリフォルニア工科大で情報神経科学の学位を取る前の彼は、東大駒場の科学哲学科に在籍し、かの廣松渉《ひろまつわたる》にも師事《しじ》した哲学青年だったのである。

脳内イメージの抽出技術は、世界各国の研究所にて、恐るべき速度で様々な展開をみせている。ある人の脳内の「イメージ」「言葉」そして「概念」「情念」などを、

「声を出す」「目配せする」「キーボードを叩く」等の身体的媒介《ばいかい》を経ることなく、別の人の脳に直接伝えるSFの世界が、いまや現実の視野に入ってきた。

脳の情報伝達の観点から言うと、人間の身体はボトルネックに他ならない。脳科学はこのボトルネックを回避して脳と脳、脳と世界を直接つなぐ手段を与えつつある。身体をもたない脳というものさえ、もはや荒唐無稽《こうとうむけい》の絵空事とは言い切れない。

しかし身体性の拘束を脱した脳とは何か。身体操作の重荷から解放された脳はいかなる思考を始めるのか。それはいずれ、夢と思い出せない夢、意識と無意識を統合した高次の意識に至るのか。そして脳科学によって高次の意識を得たわれわれは、ほどなく自らの知能を超知能へと改造する、峻厳《しゅんげん》な道を歩み始めるのだろうか。

それがはたして新たな人間の解放なのか、それとも人間性を逸脱《いつだつ》した忌《い》むべき怪異《かいい》、封印すべき技芸であるのか、われわれはそれを知らない。脳神経科学は、間違いなく倫理学の領域に立ち入ったのである。

＊＊＊＊＊＊

第15夜

＊＊＊＊＊＊

言葉と世界の見え方

「リンゴ」という言葉なしでリンゴを思い浮かべることができるだろうか。おそらくは無理だろう。あの独特の芳香《ほうこう》を放つ甘い果物は、言葉で限定されてはじめて、ミカンでもないカキでもない何かとして、われわれの心の中に存在する。ところが奇妙なことに、この言葉はわれわれの内に最初からあったのではなく、外から心に注入された恣意《しい》的な記号である。リンゴという文字やそれを読み上げた音列と、リンゴの存在自体とを結びつけているのは、社会的な約束事のみである。

それを実感するには飛行機で旅立つのがよい。異国の見知らぬ街に降り立って、店先でいくらリンゴと叫んでも、望みの果物は決して得られない。

言葉という社会的約束事を通さずには、事物の存在の認知すら覚束《おぼつか》なくなるのである。だとすれば異国語の話者には、世界がわれわれとは違って見えているのではないか。白色に相当する何十もの言葉をもつイヌイットたちには、単色の北極圏世界がずっと多彩《たさい》に感じられるのだろうか。

誰しも一度は思いを馳《は》せただろう言葉と認知をめぐるこのような疑問に、最初の明確な科学的解答を与えたのが、シカゴ大学の言語心理学者のジョーン・ルーシー博士である。ルーシー博士の本来の専門はマヤ語であった。神聖文字に覆《おお》われた謎の古代都市を、メキシコの緑濃いジャングルに残した人々の言葉である。古代マヤ

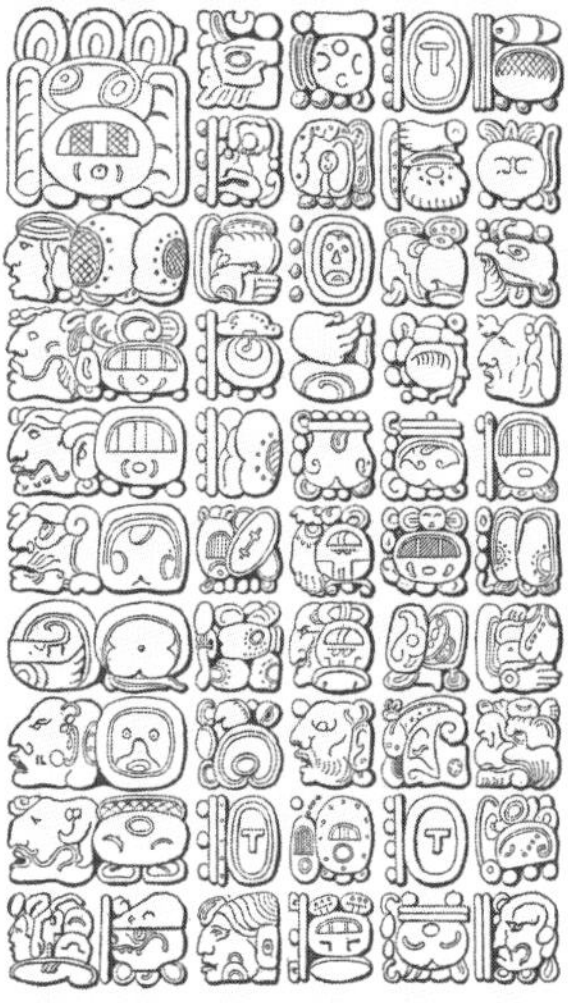
古代マヤの神聖文字

文明の流れを汲《く》む現代のマヤ人は、今もユカタン半島で700万人ほどがマヤ語を用いて生活している。

マヤ語には「助数詞《じょすうし》」の概念があって、ものを数えるとき、ものの種《しゅ》に応じ変化する語句を数字の後に加える。日本語で言えば、動物一匹二匹、電話一台二台と言うときの「匹」や「台」が助数詞である。ところが英語には「助数詞」に相当するものが存在しない。

「ろうそく」のマヤ語は「キブ」であるが、「ろうそく1本」は「ウン・チュト・キブ」となる。「ウン」が「1」、「チュト」が「本」である。

助数詞のおかげでマヤ語では、ものを指す名詞が「形」の拘束《こうそく》から解放される。固まって棒状でも溶《と》けて板状でもろうそくは「キブ」であり、助数詞「チュト」を伴《ともな》ってはじめて棒状と明示されるわけである。

対して助数詞を欠く英語では、多くの場合、ものを表す名詞自体が形の情報を含んでいる。ろうそく1本は「ア・キャンドル」であるが、「キャンドル」という名詞に棒状の形が含意されているのである。

西暦1992年、ルーシー博士は次のような実験を行なった。被験者はまず手に乗るほどの大きさの「厚紙の小箱」を見せられる。ついで同じくらいの大きさの「プラスティックの小箱」と、「平たい厚紙」を見せられて、最初のものと似たほうを選べと告《つ》げられる。アメリカ人の被験者はほぼ常にプラスティックの箱を選び、マヤ人はかなりの割合で平たい厚紙を選んだ。

これは最初に見たものを、英語話者は形で判断して「小箱」と認識し、マヤ語話者は素材で判断して「厚紙」と認識したからだ、と考えることができる。名詞が形の情報を含む英語、含まないマヤ語という言語の構造が、物体の認知に影響を及《およ》ぼしていることが、この実験ではじめて明確に証明された。

面白いことに、この実験を7歳以下の子供で行なうと、アメリカ人にもマヤ人にも差が出ない。どちらでも形を優先して「プラスティックの小箱」が選ばれたのだ。マヤ人の子供が7歳以下ではまだ助数詞を正しく使えない事実と、これはぴったり符合《ふごう》する。

言語の構造が人の認知に直接的影響をもつとの指摘は「サピア＝ウォーフ仮説」として知られ、言語学界ではこれをめぐる長い論争の歴史があった。20世紀初頭の全体主義の興隆《こうりゅう》とも絡《から》んで論争は政治的な色彩を帯《お》び、長らくこの問題は学派間の分断の

フィン語話者	スウェーデン語話者
・ウラル語族	・インド・ヨーロッパ語族
・人口の86%	・人口の6%弱

フィンランド国内のフィン語話者とスウェーデン語話者

一因となってきた。しかしその種の原理的論争は今では影を潜《ひそ》め、実証的研究に基づいた「言語学的相対論」、すなわち認知の根幹《こんかん》構造は生得的で共通だが、異言語による認知の差異はたしかに存在するとの説が、大方の言語学者の認めるところとなっている。脳科学やディープラーニングなど関連分野の進展もあって、言語と認知をめぐる研究は、今や「実用的」な段階に来ている。

＊

世紀の替わり目の西暦2000年、ヘルシンキにあるフィンランド職業健康研究所で、フィンランドにおける労災《ろうさい》事故の、フィン語話者とスウェーデン語話者の比較が行なわれた。ハイテク世界企業のノキアから家族経営の林業水運業まで、総計5万件の労災データが用いられた。シモ・サルミネン博士とアン

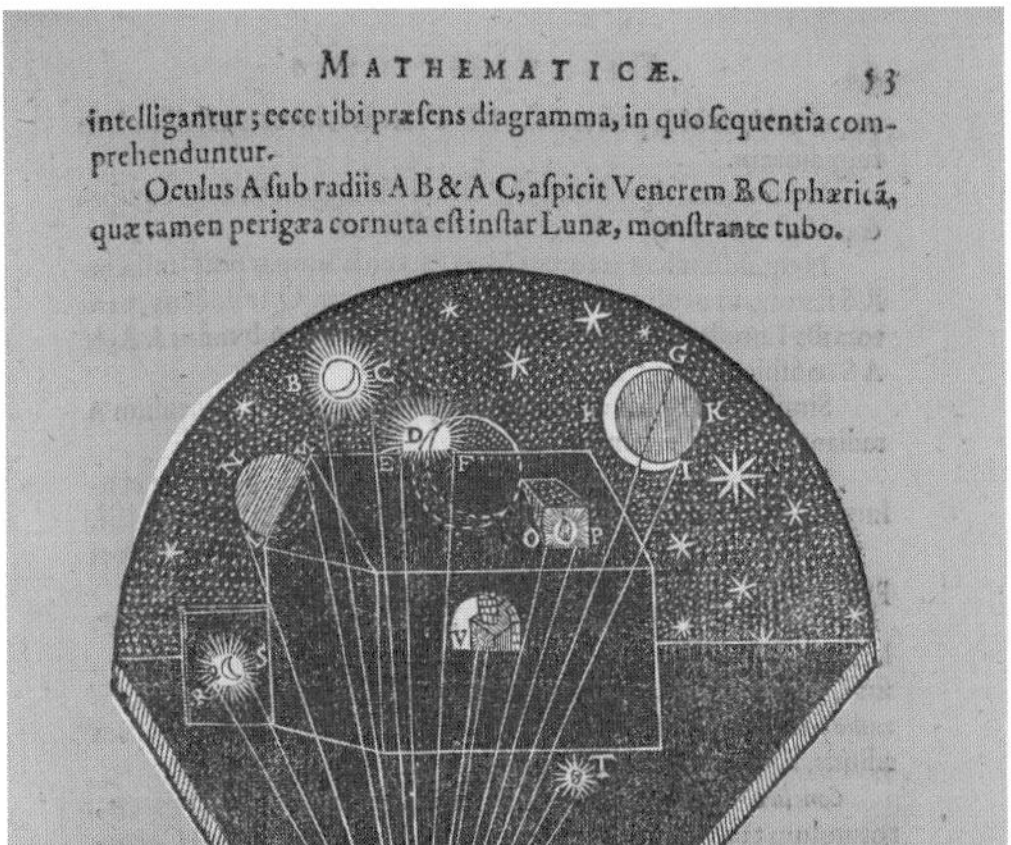

MATHEMATICÆ. 53

intelligantur; ecce tibi præſens diagramma, in quo ſequentia comprehenduntur.

Oculus A ſub radiis A B & A C, aſpicit Venerem B C ſphæricã, quæ tamen perigæa cornuta eſt inſtar Lunæ, monſtrante tubo.

Ille idem oculus cornu Lunæ D, pone domum aſcendentis, ſub radiis A E & A F conſpectum, iudicat eſſe globoſum, & vnum aliquem è planetis maioribus.

At verò falcem GHI naſcentis Lunæ arbitratur vmbroſo GKI eminentiorem.

Sic Lunæ defectæ partem tenebroſam LMN, ſeparatim viſam,

I parte

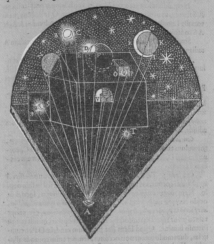

テロ・ヨハンソン博士が発見したのは、スウェーデン語話者の事故率が、フィン語話者に比べて4割ほど低いという事実である。この結果は企業の規模や業種にほとんど依《よ》らなかった。ちなみにフィンランドの労働環境は先進的で、フィン語話者の労災事故率自体、欧州平均に比べて低い。

フィンランド国民の6%弱を占《し》める少数派のスウェーデン語話者は、6世紀以上前からの居住者である。彼らは文化的にも経済的にも、そして生活習慣の上でも、多数派フィン語話者と完全に統合されている。言葉を話さない局面で両者の区別を行なうのは、フィンランド人自身にとってもほぼ不可能だという。

他のあらゆる要因が考察の上排除され、サルミネン、ヨハンソン両博士がたどり着いたのは、事故率の違いは言語による認知の違いに帰す以外にない、という結論であった。

フィン語は他の欧州の言葉とは全く別系統で、事象の関係は名詞の格変化によって示される。たくさんの事象があるとき、それらの間の時間順序が曖昧《あいまい》になる傾向がある。対してインド・ヨーロッパ語族のスウェーデン語では、前置詞後置詞を駆使することで、日常会話でも事象の時間関係は常に明確である。危険を伴《ともな》う複雑な作業を順次行なう場合、フィン語話者に比して、スウェーデン語話者のほうが、より時間順序の明確なメンタル・モデルを構築できて、労働安全上優位性があると考えられるのである。

異なった言語を知ることは、異なった世界の見え方を会得《えとく》することである。すべての日本語話者が、最も日本語から遠い言語の一つである英語を、義務教育で教わるのは決して悪いことではない。読者諸氏が学校や受験で英語学習に費《つい》やした労苦《ろうく》や悔《くや》しさ、そして涙は、たとえ英語の熟達した話者となれなかったとしても、決して無駄ではない。ちょうど異国の料理の導入で食文化が豊かになるように、異国語の要素は一国の言語文化をより香り高い豊穣《ほうじょう》なものにするだろう。

言語習得による新たな認知能力の獲得は、別に外国語に限らない。同一言語であっても、初等教育で身につけるものと高等教育で接するものとは、別の言語体系といえるほど異なっている。高等教育のメリットの大部分は、おそらくはそこに由来しており、個々の学科での新知識の獲得ではないのだろう。言語心理学界の最近の研究の一つの焦点は、異なった社会階層における言語の違いと、認知機能の違いとの関係である。

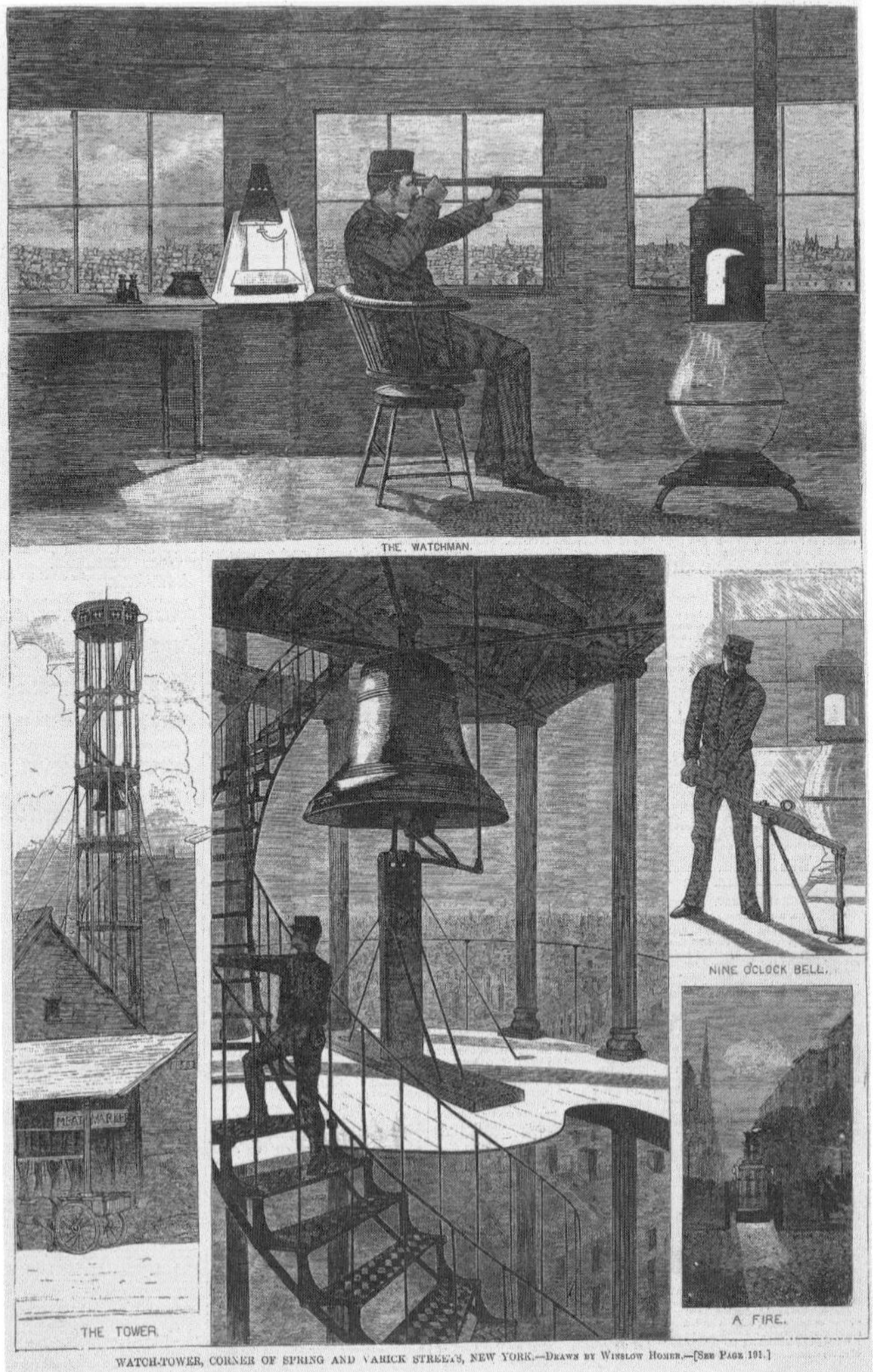

WATCH-TOWER, CORNER OF SPRING AND VARICK STREETS, NEW YORK.—Drawn by Winslow Homer.—[See Page 191.]

言語と認知の関係の研究はいまだ発展途上にある。言語を含む人間活動の巨大電子データの蓄積とともに、それはより精密になっていくだろう。そして社会の安全性や利便性の向上に使われ、また知能犯罪や意識の操作に使われるだろう。オーウェルの「ニュースピーク」風に自由の抑圧《よくあつ》に用いられるかもしれない。

存在と意識を直接につなぐ社会的媒体である「言葉」に秘められた力は、いまだ汲《く》み尽くされていない。

いずれにせよ今後、その力のさらなる開示を、われわれが目にするだろうことは間違いない。

＊＊＊＊＊＊
第16夜
＊＊＊＊＊＊

トロッコ問題の射程

吉良貴之《きらたかゆき》氏が語り始めた。

――「トロッコ問題」について聞き及んだ人はどれくらいいるだろうか。

新装《しんそう》なった高知市図書館「オーテピア」、最上階プラネタリウム横会場での、寒風に澄《す》んだ師走《しわす》ひと日の夕刻であった。「高知サイエンスカフェ」の講師は、東京の若き法哲学者である。

炭鉱《たんこう》の採掘現場でブレーキが壊れて暴走するトロッコが、線路の先の5人の鉱夫に向かっている。切替《きりかえ》路線の向こうでは別な1人が線路上で作業中である。たまたま路線切替機の隣にいたあなたは、そのまま5人が轢《ひ》かれ死ぬのを見過ごすか、レバーを引き路線を切替えて、本来無関係な1人の死を引き起こすかの選択を迫られている。

第**16**夜

トロッコ問題の射程

あなたはどうするのか?

　レバーを引く引かないで6対4ほどに分かれた聴衆との、丁寧な対話に入った吉良氏から、「功利《こうり》主義」や「カント主義」といった倫理学用語が発せられ、議論は熱を帯《お》びてきた。意見百出《ひゃくしゅつ》で収まりがつかなくなったとき、会場の最後尾から、背筋を伸ばして立った紳士《しんし》のテノールが響いた。

——そこの切替機にいる〝あなた〟とは一体誰なのか。どのような立場の人なのか。

　高知大から駆けつけた吉良氏旧友の憲法学者、岡田健一郎氏である。「うーん」といううめきのような声とともに、会場は一瞬沈黙に包まれた。

我が意を得たりとばかり、吉良氏は話し始めた。レバーを切り替える「あなた」は人間とは限らない。例えばAIロボットに路線切替機を任せることも考えられる。その場合AIにはどのような判断を教え込んでおけばよいのだろうか。

これはけっして単なる仮想の知的クイズではない。自動運転の実用化が視野に入った今日、トロッコ問題的な状況が発生した非常時に備えて、自動運転AIをどうプログラムしておくかというのは、車の売れ行きに関わる実際的な問題なのだ。

例えばもうブレーキが間に合わない状況で、自動運転の車の前を横切る3人の老人、そしてその横の車止めブロックが現れたとする。この状況でAIにどのような選択をさせるべきだろうか。そのまま老人たちに突っ込ませるか、またはハンドルを切って自らの車を乗っている所有者もろともブロックにぶつけるか。

問題はいろいろなヴァリエーションをもって出てくるだろう。前を行く歩行者が子供たちだったらどうだろうか。歩行者が横断歩道を渡る場合と車道の違法横断の場合とで、歩行者を轢くか自分をブロックにぶつけるかの判断が違ってくるだろうか。

自動運転AIに多くの人々が納得するような判断をさせるのは、至難《しなん》の技《わざ》のようにも思えてくる。それ以前にそもそも、人々がこのような場合、どのような倫理的判断を行なうのかについての徹底的な調査が必要ではないか。

そのような調査はすでに存在する。それも地球全体を網羅《もうら》した大規模なものが。

MITメディア研究所准教授イヤド・ラハワン博士率《ひき》いるグループは2018年秋、ネイチャー誌に画期的な論文を発表した。彼らはインターネットを用いて、40の状況変化を与えた自動運転車のトロッコ問題への回答を、全世界の100万を超える被験者から集めた。4000万の回答からなる、掛け値なしの「倫理学ビッグデータ」である！

各人のデータは9つの独立な倫理的性向として整理され、中心点から発する9つの矢の上にプロットされたグラフとして表現された。100万のこのようなグラフは、複雑系物理学のネットワーク理論に基づいた分析にかけられた。結果からは、あらゆる人間に共通の倫理的判断の存在が確認されるとともに、地球上の地域ごとの倫理的性向の、興味深い違いが浮上してきたのである（138ページの図を参照）。

まず全人類共通の結果として、よりたくさんの人命を救おうとする傾向、老人より若者を救おうとする傾向が確認された。人類の種の保存を考えると、ほぼすべての人に納得できる倫理判断であろう。

さらにネットワーク・クラスター分析から浮かび上がったのは、人々の倫理哲学的性向を基準にして、全世界が大きく3つのブロックに分けられる事実であった。ラハワン博士はそれを「西洋クラスター」「東洋クラスター」「南洋クラスター」と呼んだ。それぞれは凡《おおよ》そで言って、欧州と北米の国々、極東と南アジアそして東南アジアの国々、南米の国々からなっていたからである。

日本も属する東洋クラスターの特徴は、救える人命の数を重視しないこと、そして合法的な行動をとる人を優先的に救おうとする傾向である。またこのクラスターでは老人が尊重される一方、男女を等しく扱う傾向が見出された。これを逆から言えば、東洋クラスターでは法を守らないものの命は軽んじられ、他クラスターに比べて若者や女性に冷たいということでもある。日本に最も近い傾向を示すのがすぐ隣の韓国、台湾、中国ではなく、マカオでありカンボジアであるというのも興味深い。

メキシコ、アルゼンチン、チリ、コロンビア、パラグアイといった国が属する南洋クラスターの特徴は、社会的地位の高い命の尊重と、若者そして女性の命の尊重である。また他クラスターと比較するとき、ここでは健康なものの命をより尊重する傾向が見出される。南洋クラスターでは一方で、人命の数を特に重視したり、合法的かどうかを重視するということはない。

イギリス、ドイツ、イタリア、ロシア、ポーランドなど欧州諸国と北米が属する西洋クラスターでは、何を特に重視するというより、どれもバランスよく考える傾向が見て取れる。強いて言《し》えば「事態への介入を避ける」「なりゆきを尊重する」という傾向が、他の2つのクラスターに比べて強くなっている。

ここで東洋西洋といった名前自体は仮のもので、上記の分類には奇妙な例外がいくつか見つかるのも面白い。欧州の中核を自認するフランス、そして中欧のチェコとハンガリーは、この倫理的区分ではなぜか南洋クラスターに属している。アジアのベトナムとバングラデシュそしてスリランカが、また南米の雄《ゆう》ブラジルが西洋クラスターに入っている。中東諸国はイランとサウジアラビアが東洋クラスター、イラクやシリアが西洋クラスター、そしてトルコが南洋クラスターという風に、不思議にバラバラな配属になっている。

このような分類の結果は、将来の売れ筋のAI自動運転車の設計に用いられるであ

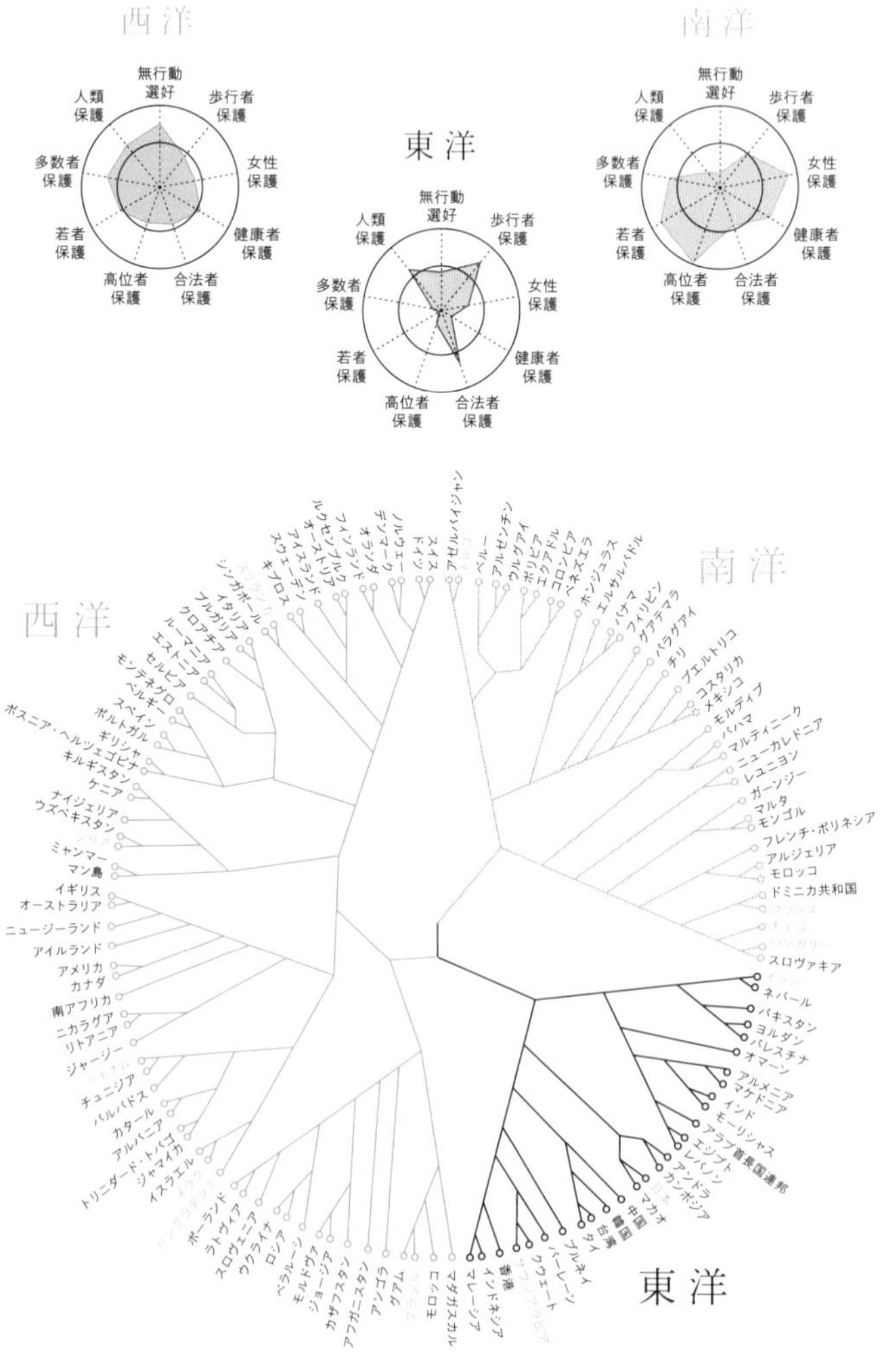
西洋
東洋
南洋
無行動選好
歩行者保護
女性保護
健康者保護
合法者保護
高位者保護
若者保護
多数者保護
人類保護
アゼルバイジャン
スイス
ドイツ
ノルウェー
デンマーク
オランダ
フィンランド
ルクセンブルク
オーストリア
アイスランド
スウェーデン
キプロス
シンガポール
イタリア
ブルガリア
クロアチア
ルーマニア
エストニア
セルビア
モンテネグロ
ベルギー
スペイン
ポルトガル
ボスニア・ヘルツェゴビナ
ギリシャ
キルギスタン
ケニア
ナイジェリア
ウズベキスタン
ミャンマー
マン島
イギリス
オーストラリア
ニュージーランド
アイルランド
アメリカ
カナダ
南アフリカ
ニカラグア
リトアニア
ジャージー
チュニジア
バルバドス
カタール
アルバニア
トリニダード・トバゴ
ジャマイカ
イスラエル
ポーランド
ラトヴィア
スロヴェニア
ウクライナ
ロシア
ベラルーシ
モルドヴァ
ジョージア
カザフスタン
アフガニスタン
アンゴラ
グアム
ロシア
コソボ
マダガスカル
マレーシア
インドネシア
香港
クウェート
バーレーン
ブルネイ
タイ
台湾
韓国
中国
マカオ
カンボジア
アンドラ
レバノン
エジプト
アラブ首長国連邦
モーリシャス
インド
マケドニア
アルメニア
オマーン
パレスチナ
ヨルダン
パキスタン
ネパール
スロヴァキア
ドミニカ共和国
モロッコ
アルジェリア
フレンチ・ポリネシア
モンゴル
マルタ
ガーンジー
レユニオン
ニューカレドニア
マルティニーク
バハマ
モルディブ
メキシコ
コスタリカ
プエルトリコ
チリ
パラグアイ
グアテマラ
フィリピン
パナマ
エルサルバドル
ホンジュラス
ベネズエラ
コロンビア
エクアドル
ボリビア
ウルグアイ
アルゼンチン
ペルー

ろうし、また各国で事故を減らすための道路設計や交通法制度設計にも役立つだろう。しかしおそらく、それ以上に皆の感慨《かんがい》を呼ぶのは、この分類表の結果と、「お国柄《くにがら》」に関するステレオタイプとの、なんとも絶妙な対応であろう。合法性をどれほど重視するか、男女平等の動きへの各文化圏の温度差、社会的平等をどれほど重視するか、その他その他。苦笑とともに納得してしまう点がなんと多いことか。そしてなによりも、恣意《しい》的な概念や分類の一切の導入なしに、データから「自動的に」人間世界の三大文化圏への分岐《ぶんき》が浮かび上がってくる驚き。

倫理学の問いから始まったわれわれの歩みのたどり着いた先が、データサイエンスとしての文化論だったとは！

これまで専《もっぱ》ら定性的言説に委《ゆだ》ねられていた「国ごとの文化風土」といった話題まで、いまやネットワーク理論の定量的解析の俎上《そじょう》に載《の》せられるのだ。図表の国名を繰り返し確かめながら思いをめぐらせていた間にも、会場の議論は先へとすすんでいた。

最後の話題である刑法不要説をめぐっての討論が始まっていた。実証的に見て刑罰は犯罪の抑止《よくし》になっていないことが多い。上手な制度設計さえあれば、民法を媒介《ばいかい》とする人々の契約のみで犯罪の少ない成熟した社会が維持できる。自ら「リバタリアン過激派」を自認する法哲学者吉良氏は、このように自説を語った。一方憲法学者の岡田氏は、民法と刑法双方の有機的運用のみが社会の健全さを保証すると考える、より伝統的な法学の立場であった。

聴衆から質問が出た。

――トロッコ問題データからカント主義、功利主義など個々人の哲学を抽出できないか。

法哲学者が満面の笑みで答えた。

――いい質問ですね！　その話で締《し》めようとしていたところです。

ラハワン博士のデータは、国ごとの特徴の分類だけでなく、解析次第で個人の倫理的指向性《しこうせい》の定量的な分類にも用いることができる。そのようなデータによる分類は、個々人の職業適性の診断から友人の選択まで、あらゆる場面で有効であろう。またそれは組織によるメンバーのリクルートと採用、人材管理、また商品のマーケティングにおける顧客ターゲティングにも、とても有用であろう。

しかしそのような未来の到来は望ましいのだろうか。それは誰にもわからない。むしろ問いはこうあるべきであろう。いかにすれば到来《とうらい》する未来を望ましいものにできるか。善《よ》きにせよ悪《あ》しきにせよ、データサイエンスが日常に埋《う》め込まれた時代、それがまさにわれわれの21世紀なのだから。

＊＊＊＊＊＊
第17夜
＊＊＊＊＊＊

ペルシャとトルコと奴隷貴族

言葉も風習も異なる遠方の人々の歴史書を読むのが好きである。奇異で不道徳で同時に美しく精妙《せいみょう》な制度、何かが心に引っかかり記憶から消せない事物などが、そこには数多く記されている。

その一つに「マムルーク」がある。

中世から近世にかけてのイスラーム諸国でみられた、異民族の奴隷《どれい》からなるエリート部隊の軍人のことで、各国の宮廷の守護の柱だったという。近世の三大陸に覇《は》を唱えたオスマン大帝国のイェニチェリ軍団が有名であるが、エジプトの「奴隷王朝」のように自身が王となったマムルークもいた。

マムルークという不可解な制度がどうできてきて、一体どのように運用されたのか、

第17夜
ペルシャとトルコと奴隷貴族

それを知るためには、１１００年前のサーマーン朝ペルシャに（空想の中で）出かけねばならない。

サーマーン朝とはイスラーム暦の2世紀半ば、西暦9世紀末に、今日のイラン東部からウズベキスタンにかけて存在した、ペルシャ語を喋《しゃべ》る人々の国である。アラブの征服者に国を滅ぼされイスラーム化したペルシャ人であったが、言葉と文化は残り人々も残り、２００年ののち元の場所より少し東に寄せて、新しい王朝が立ち上がったのだ。

ペルシャの国の東の果てには異教徒のトルコ系遊牧部族が住んでいた。騎馬《きば》に秀《ひい》でた剽悍《ひょうかん》なトルコ人の襲撃は、文明的都市住民となっていたペルシャ人たちの悩みの種であった。このような場合の定石《じょうせき》は「夷《い》を以《もっ》て夷を制す」である。サーマーン朝のペルシャ人たちも当然定石を用いたのだが、そのやり方が独特であった。

ペルシャの奴隷商人がトルコ人の少年たちを攫《さら》ってくる。サーマーン朝の役人が来て、その中から知能体力性格容貌《ようぼう》すべてを厳しく選《よ》りすぐって買っていく。奴隷少年たちの行き先は特設の学校で、そこで彼らはコーランから武術まで、数学から詩まで、礼節から立ち振る舞いまでを学び、サーマーン朝に忠誠を誓うイスラーム戦士となるのである。軍功《ぐんこう》には昇進と封土《ほうど》が約束された。時をおかずサーマーン朝の精鋭《せいえい》軍は、兵卒から司令官までトルコ人戦士で満たされた。精鋭軍の行く手には常に勝利と栄光が待っていた。トルコ人奴隷たちは軍事貴族となり、イスラーム法官や官僚からなるペルシャ人貴族と並んで、サーマーン朝国家を支える二本柱の一つとなったのである。

サーマーン朝の東の辺境は安定し、国は西に向かって拡張した。往古《おうこ》のペルシャ帝国の版図《はんと》の大部分が回復された。これがマムルーク制度である。サーマーン朝の奴隷精鋭軍の評判はあっという間に広まり、マムルークはイスラーム世界全体に浸透した。

奴隷から特権階級となったトルコ人たちは、宮廷にも影響力をもつようになり、国の政治を左右し始めた。サーマーン朝からアフガニスタンを分離して別王朝を立てたのも彼らである。しかしマムルークに許されていないことが一つだけあった。それは階級の世襲である。精鋭軍を精鋭に保つために、兵士は常に新たに辺境の異教徒から育てられねばならない。マムルークの子供たちはイスラーム法官や国家官僚となって、一般のペルシャ人文官貴族と融合していった。マムルークは常に奴隷から鍛《きた》え上げられる一世代限りの存在なのである。

マムルークを絶やさないためには、常に新たな奴隷の供給が必要となる。サマルカ

第17夜
ペルシャとトルコと奴隷貴族

ンドやブハラといった東部の大都市には、どこも大規模な奴隷市場があった。ホレーズム地方の中心都市ヒヴァには、今から150年前に奴隷制度が廃止されるまで、世界最大の奴隷市場が置かれていた。その遺構《いこう》は世界遺産となって今日見ることができる。

これらの市場を通じて大量のトルコ人が東から西へと流れていった。古代からペルシャ人の居住地だったすべての場所が、トルコ＝ペルシャ融合世界へと姿を変えていった。世襲の文官貴族と一代限りの軍事貴族が並び立つ制度は、この世界融合の鍵であった。イスラーム全域の、場所ごと時代ごとの異なった辺境で、異なった異教徒からマムルークが作られた。アルメニア人、グルジア人、チェルケス人、ギリシャ人、アルバニア人、ブルガリア人。彼らの子孫は今ではすべて、イスラーム統合世界の市民である。

イスラーム世界は中世末期、人類文明の先頭に立っていたと考える人もいる。その香り高い文化と強力な軍事の背後には、まさにマムルーク制度という、一見奇怪《きかい》な人種的職能《しょくのう》的分業制があったのである。現在のわれわれが奉《ほう》じている、平等と人権と民主主義の社会制度とは対極の、この不可思議な制度をどう考えたらよいのだろうか。

前近代社会の文脈でみれば、マムルーク制を「農耕民と遊牧民の対立」問題への、創造的でエレガントな解法だと考えることができる。なぜなら遊牧民に対して壁を立て買収し武力で対抗しても、ちょうど高まる津波に次々と堤防をせりあげて応じるように、いずれ巨大な決壊が予想されるからである。

今日多くの国で、異文化からの才能を取り込むことなしには、先端科学技術の発展も経済の活況も見込めなくなっている。現代人はこれを首尾よく行なえるだろうか。万民平等主義の建前とは裏腹に、われわれの周囲で異民族カースト間の軋轢《あつれき》が生じ始めていないだろうか。マムルーク制を参考にしつつ、奴隷制度に代えてわれわれの道徳観に合う別な何かで、社会の異質な要素の親和と融合をめざす制度が設計できないものだろうか。

われわれにとってマムルークとは何か。これは思わぬ知見をもたらし得る、なかなかに深い問いなのかもしれない。

生命編

世界は美しい。何となればリトミックな生命の表現が、生活があるからである。世界は唄つてゐるやうだ。縦ひ彼処の世界が私のために悲しい生活の継母《はゝ》であつたとしても。

——吉田一穂「新約」

＊＊＊＊＊＊
第18夜
＊＊＊＊＊＊

分子生物学者、遺伝的真実に遭遇す

ノーベル賞分子生物学者ポール・ナース博士がアメリカに来て3年目の出来事である。

彼は移民局の待合室に妻とともに座っていた。ロチェスター大学長の任にあって多忙を極めていた中である。イギリス人の彼であったが、アメリカの永住許可証の申請が、なぜか円滑に進まなかった。局側の話ではなんでも略式の出生証明に不備があるということで、イギリス大使館を通して正規の書類を本国から取り寄せる羽目《はめ》になったのである。

しばらくすると大使館員が出てきて二人は別室に案内された。書類を前にした館員がためらいがちにページを繰《く》って、ある場所を指し示した。それは家族関係の項目で、母の名を記《しる》した部分である。驚くべきことにそこにあったのは、知っている母の名とは異なる「ミリアム」という文字であった。ポール・ナース博士の17歳年上の姉の名前である。父の欄は線が引かれただけで空欄になっていた。父は不明という意味である。

一瞬なにが起きたのか分からず呆然《ぼうぜん》とするナース博士と妻。しばらくして慈《いつく》しむような微笑《ほほえみ》とともに「ポール」と言って手を握った妻と目を見合わせて、夫にもようやく事情が飲み込めた。

先頃亡くなった姉の最期《さいご》の寝室に、彼女自身の3人の子供と並んで、彼ポールの幼年時代の写真があったのを見て、何か不思議で心に引っかかっていたことが、ありありと思い出された。

彼は子供の頃から自分がまわりと何か違うのを常に感じていた。彼の母はビストロ・カフェのメイドで、父はウェイター兼運転手であった。兄弟姉妹は3人とも中学を出てすぐに働きに出た。彼ひとりが学校の成績が飛びぬけて良かった。実際彼の名は、ノーフォークの郷里《きょうり》の田舎《いなか》町の神童《しんどう》として早くから知れわたり、篤志家《とくしか》の奨学金を得て、彼は一族の中からはじめて大学に進むこととなった。彼の異国風のミドルネーム「マキシム」というのも、庶民《しょみん》的な家庭環境から何か浮いていて、学校でよくからかいの種になったものである。

バーミンガム大学で学位を得て生物学者となり、細胞分裂を司《つかさど》る遺伝子機構を解明した、ポール・ナース博士のその後の成功物語は皆が知る事実である。いうまでもなく細胞分裂こそが、われわれの個体を維持し種族の繁殖《はんしょく》を保証する根本のメカニズムなのである。

記憶をたどるにつれ、姉のミリアムがただの姉ではないという特別な事情に、彼自身薄々気づいていたのだ、という思いに囚《とら》われるのであった。

彼のアルバムに、姉の結婚式の写真がある。ポールはまだ三歳児である。粗相《そそう》をして倒してしまったウェディングケーキの傍《かたわ》らで泣いているポール。姉のミリアムが片手を夫にかけて寄り添いながら、もう一方の手でポールの手をしっかり握っているスナップショット。

まるで蓋《ふた》のとれた魔法の壺《つぼ》からのように次々と湧《わ》き出す記憶たち。青年時代に姉といるたびに感じた不思議な安らぎ。姉が自分を見るときに時々見せたどこか愁《うれ》いを帯《お》

第 **18** 夜

分子生物学者、遺伝的真実に遭遇す

びた眼差し。ノーベル賞授賞式で両親や兄弟が皆晴れやかにしている中、一人だけハンカチで目を覆《おお》っていた姉の姿。

そう、「姉ミリアム」は本当は彼の母だったのだ。おそらくは、彼が生まれてすぐに、未婚の母となる醜聞《しゅうぶん》を恐れた両親が、娘の子を我が子として育てることにしたのだろう。

無事移民局での申請を済ませて家に戻ったナース夫妻は、興奮醒《さ》めやらぬままに、名の知れぬ彼の真の父についての推測を行なうのであった。有力なのはミリアムが一時熱をあげ追いかけていた歌手だという説である。ナース博士自身がもっとも気に入ったのは、ミリアムが働きに出ていた事務所で出会った亡命ロシア貴族説である。少年時代何かの折、家族の会話にミリアムがこのロシア紳士《しんし》と親しくしていた話が出てきたのである。

ナース博士は自らの遺伝子情報解析を受けた。彼の研究室から毎月のごとく出て有名雑誌を飾り続けている学問的成果とは異なり、新聞広告等を通じた父親捜《さが》しは、今のところ何の成果もあげていない。

＊＊＊＊＊＊
第19夜
＊＊＊＊＊＊

アリたちの晴朗な世界

人間は生物界の長をもって任じている。人間は地上の動物のバイオマス（生物量）の30％あまりを占め、脊椎《せきつい》動物界の食物連鎖の頂点に立っているので、その自任は根拠なしとはしない。人間をのぞいては、農業を行ない牧畜《ぼくちく》を行ない、王国を共和国をそして大帝国を築《きず》く生物などいないではないか。

しかしはたしてそれは本当だろうか。

世を広く見渡すと、実は意外なところに、人間以外で農業を行ない牧畜を行なう生物が、王国を共和国をそして大帝国を築く生物がいる。

それはアリである。

第19夜

アリたちの晴朗な世界

アリはまずもって数が多い。個体あたりで人間の何十万分の一しかない軽さながら、バイオマスとしては人間に匹敵《ひってき》するほどとも言われている。つまり重さで量《はか》って地上の総動物資源の3割ほどを占めるのである。昆虫界でもこれは異例の多さである。

アリの長所はその特異な賢《かしこ》さである。それは集団としての賢さ、個体間の協力から生まれる「社会的な知性」であり、そのためにアリは驚くほど精緻《せいち》に組織された社会をもつ。個体が協力して集団で狩猟を行なう動物は少なくない。しかし農業を行なうほどに社会的組織を発展させた生物は、アリと、そしてわれわれ人間だけである。この社会的知性ゆえに、アリは地上のあらゆる環境に適合し栄《さか》えて、それで数が多いのである。

アリは3千種ほどの種族が知られていて、それぞれ非常に異なった多彩な生活形態をもつ。小さな家族単位で生活する一匹オオカミ的例外を除いて、すべてのアリが、種《しゅ》ごとに異なった、しかしどれも高度に組織化された社会の中で生活している。1億5千万年におよぶ長い進化の過程を経て、あらゆるタイプの社会形態の実験を行なったかのようである。個々の巣のサイズも数千匹のものから、数百万におよぶ巨大なものまで、実に幅広い。部族規模を超えた社会組織については、6千年そこそこの歴史しかないわれわれ人間が、アリから学ぶことも多いはずである。

農業を行なう「ハキリアリ」の例を見てみよう。一匹の女王の下、すべてその娘である働きアリたちが、巣の中にキノコを栽培して暮らしているのであるが、その社会は高度な職能《しょくのう》に分かれた厳格な分業制である。ノコギリのような大きな顎《あご》をもった葉切り職人、切り落とされた葉を巣までリレー式に運ぶ運搬《うんぱん》職、持ち込まれた葉をキノコに与えて育てる園芸家、病原菌がいないか絶えずキノコの状態をチェックしている検査技師、そして最も大切なお役目の次世代育成役、すなわち卵や幼虫の世話をする職能まで、どれも一目でわかるくらい個体の形態や大きさが異なる。

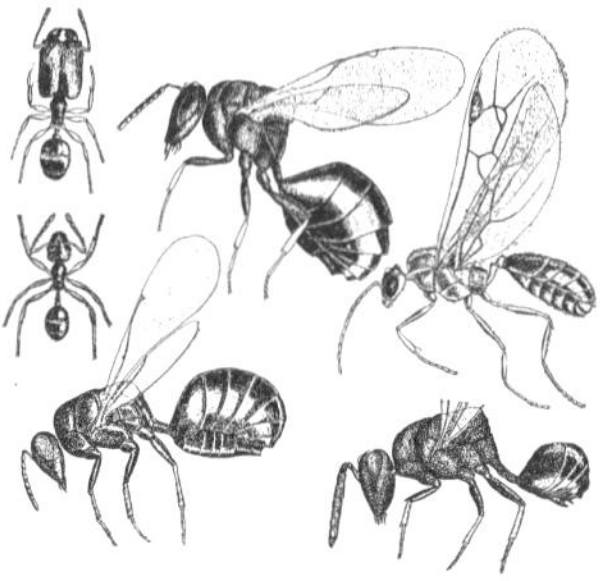

外敵から巣を守る国防軍まである。戦闘職の個体は屈強《くっきょう》で、検査技師の個体の5倍ほどの大きさをもつ。幼虫段階もしくは卵の段階で、いかなる方法なのかいまだ不明ながら、職能に応じて形態分化する。職能はカーストなのである。カーストごとに脳

の大きさや解剖学的構造まで異なる。

脳だって？　アリに脳があったのか。アリは頭を落としても生きているとファーブル昆虫記で読まなかっただろうか。

昆虫はすべて脳をもつ。頭を切り落としても死なないのは、節《ふし》ごとに小さな神経結《しんけいけっ》節点《せってん》があって、節ごとの生存の基本機能を司《つかさど》っているからで、ちゃんとした個体として機能するには脳をもつ頭部が必要である。アリの脳は約100万のニューロンからなっている。10億のニューロンをもつ人間とは比較できないが、それでも結構な数である。人間の作った人工知能では、ニューロンの数は今のところまだ数万である。

その100万ニューロンの脳で、個々のアリは自分の持ち場をわきまえて職務を果たす。すべての個体は、仲間のアリとよそ者のアリ、味方と敵を区別し、仲間の職能を区別し、冒険をして良い餌場《えさば》を探し当てる。そしてそれを仲間に教える。道を知るアリが触角で他のアリの体に触れて

先導しながら、文字通り手取り足取りで目的地を教えるのである。

組織された社会生活には、個体間の高密度の情報交換が必要であるが、アリはこれを、主に化学物質の放出と検知で行なっている。餌場を見つけた個体は行く先々の道にフェロモンの足跡をつけていく。それに従った別の個体がまたフェロモンを残すので、良い餌場に向かう道は強いフェロモンの跡がついて、より多くの個体がその道を選ぶ、という具合である。一種の多数決的集合知である。

多数決といえば、ヒアリの社会に触れないわけにはいかない。ヒアリは近隣のいくつもの同族の巣を襲撃して、そこにある卵や幼虫を自分の巣に拉致《らち》してくる。こうしてヒアリの巣は急激に人口を増やすのである。面白いのはその際、卵を強奪《ごうだつ》された巣の女王が、征服者たちの巣に越してくることである。こうして巨大になった一つの巣に何匹もの女王が同居することになる。

もちろんそのような状態は安定的でないので、定期的に正統な女王を一匹だけ、働きアリたち全体で選ぶことになる。選ばれなかった女王たちはすべて殺されてしまうのである。このとき残るのが元の征服者の女王とは限らない。女王は特殊なフェロモンを発して働きアリたちを従えるのだが、そのフェロモンの強さの人気投票で、正統な女王が選ばれるのだという。「化学的民主主義」とでも呼べばいいのだろうか。

音を使う情報交換も知られている。ハキリアリでは、葉に周期的な振動音をたてて、その音の間隔を用いて葉の豊饒《ほうじょう》さを伝えるらしいことがわかっているのである。まだ他にも知られていない情報交換の手法があるに違いない。

アリの言葉の文法はまったく解明されていない。しかしそれが、非常に高度な情報交換体系だろうことに、疑いの余地はない。そうでないとすれば、いかにして多数のアリが協力して何十倍の大きさの昆虫を襲い、解体し、その大きな断片を、数匹のアリで支えあって巣に運び込むのだろうか。

アリはまた、逝《い》ける同胞《どうほう》たちのための一種の共同墓地を営むことでも知られる。仲間の死体の発する化学物質を検知すると、アリたちは骸《むくろ》を担《かつ》いで決まった部屋に運び入れて並べるという行動を取り始める。おそらくは集団の衛生を保つ必要から生まれた習性なのだろう。

他の集団のアリから巣を守って死んだ兵士の大きな死体を、小さなアリたちが巣へと引いていく。あたかも弔《とむら》いの儀式のように。

戦に斃《たお》れた若人《わこうど》が、青銅の矢に射抜かれて横たわるのは、まったくふさわしいことである。その死にあっては、すべてが正しいものに見えるのだ。

——ホメロス『イリアス』第22巻59節

アリにいかなる感情があるのか、そもそもアリに心があるのか、それは今のところわからない。しかし人間界で魂《たましい》と呼ばれるもの、心の美徳のようなものを、アリたちの間にも見出せるのはなぜなのか。

この完璧に構成された社会、「超個体」とさえみなせる社会全体の生存に奉仕《ほうし》して、個々のアリは私を滅《めっ》して自らの持ち場を守る。その一糸乱れぬ統率《とうそつ》ぶりは、古代ギリシャのスパルタ人を、征服期チリのアラウコ族を彷彿《ほうふつ》とさせる。アリたちは独裁制恐怖政治の下にあるわけではない。むしろアリの各個体は、他に従属しない集団の自由な構成員という、古典古代的な意味での誇り高い主権者なのである。アリたちの心は、もしそれがあるとすれば、おそらくはエーゲ海のごとく晴朗《せいろう》なのだろう。

第**19**夜

アリたちの晴朗な世界

＊＊＊＊＊＊
第20夜
＊＊＊＊＊＊

アリと自由

アリは本来自由であった。

地を這《は》って生きるアリであるが、彼らは元々は天からやってきた。アリの祖先は大空を舞うハチなのである。大国家を打ち立てるために、アリは自ら翅《はね》を切り落として地上に降り立ったのだ。

アリが翅を切り落とす、というのは比喩でなく、文字通りそうなのである。一般のアリは進化の途上で翅を失ったが、女王になるべく育てられた処女女王アリと、彼女らと番《つが》うためだけに生まれたオスアリたちだけは、翅をもっている。新たな王国を始めるため母の巣から飛び立ったアリの新女王は、結婚飛行を終え地上に降り立つと、自らの翅を切り落とすのだ。

ちなみにオスアリはすべて、一度だけの飛行で自由を味わって自らの役目を終えると、そのまま落ちて息絶える。

翅を落としたのちの女王アリは、巣穴を掘って卵を産み、最初の世代の働きアリとなる娘たちを育て上げると、あとは生涯、ただひたすら卵を産むことに専念する。女王は君臨《くんりん》すれども統治《とうち》することはない。働きアリたちは卵を育て、数を増して、社会システムを自ら組み上げ、巣穴を広げ餌場を広げ、アリの王国は領土を広げていくのである。


しかしすべての王国に順調な発展が保証されているわけではない。ある女王アリにとっての棲息適地《せいそくてきち》は、当然他の女王アリにとっても適地である。発展するアリの王国の最大の敵は、同族異族の他のアリの王国である。

屈強《くっきょう》の兵隊アリをそろえた防衛軍も、往々《おうおう》にして他のアリの王国との戦闘に敗《やぶ》れる。とりわけ恐ろしいの

は、戦闘と支配に特化した、奴隷《どれい》狩りをするサムライアリの種族である。

これらサムライアリたちの辞書には容赦《ようしゃ》や慈悲《じひ》といった言葉はない。他のアリの巣を襲って女王と大人の働きアリたちを殺し尽くしたのち、サムライアリは卵や幼虫を奪い去っていく。巣をそのまま乗っ取ることもある。拉致《らち》された子供たちは、サムライアリの奴隷《どれい》として育てられる。解明されていないなんらかの化学的魔術で、彼らはサムライアリに支配されることになる。本来自らの姉妹たちに向けられるはずの養育本能を悪用されて、主人たちの身の回りの世話から子育てまでをさせられるのである。奴隷アリの絶望、悲痛は一体どれほどのものだろうか。


「アリには心がないんだから、絶望も悲痛もないですよ」と言ったのは大学院生の中村君である。大学の研究室でアリのヴィデオを見ながら、彼らの社会について説明していた時のことである。アリの研究の世界的権威、ヴュルツブルク大学ベルト・ヘルドブラー博士のYouTubeにあがっているヴィデオである。われわれのグループで現在進行中の、多数決政治プロセスの数理モデル研究の参考にしようとの目論見《もくろみ》なのだ。

「たしかに生殖機能を女王に集約してるから、アリには恋愛感情とかはないだろうけ

ど。でもアリに心がないなんて、断言できるかなあ。これ見てると、われわれのできることはほぼすべてアリにもできるんだから。できないのは量子力学の計算くらいじゃない？」

　そんな私の反論に対して中村君が答える。

「でもやっぱりアリは、結局本能の組み合わせのプログラムに従って動いているだけで、心もないし感情もないし、自由も隷属《れいぞく》もないような気がしますよ」

　私がなおも食い下がる。

「人間のように農業をやり、人間のように仲間を教育し、人間のように葬式をやるアリに、心だけがないなんて考えづらくないかな。奴隷狩りをするアリってのを、意志のないただの自動プログラムで説明するのは難しくない？」

中村君も譲《ゆず》らない。

「いやもしその奴隷アリが反乱を起こしたり、アリの社会に革命があったり、なんていうのが見つかったら、私もアリにも心があって、自由意志があるって認めますよ」

なるほどアリにもし魂があるのなら、それは自由を希求《ききゅう》するだろう。もし奴隷アリが絶望に打ちひしがれるとしたら、それはいずれ怒りとなり、強い魂をもった奴隷たちの間から、いずれ反乱が沸《わ》き起こるだろう。唯々諾々《いいだくだく》と圧政に従うだけの奴隷アリは、たしかにただの自動機械に違いない。


学生に言い負かされたままセミナーを終えて、どうにも釈然《しゃくぜん》としなかった私は、自分のオフィスに戻ると、念のため検索をかけてみた。slave, ants, revolt……。するとどうだろう。ごく最近のマインツ大学のパンミンゲル博士たちの研究論文がヒットした。その題からして「アリの〝奴隷反乱〟の地理的な分布について」というのである。調べると彼らもヴィデオを作っている。どうやら発表当時の２０１２年には、少し評判になったようである。

プロトモグナトゥス・アメリカヌスというサムライアリに支配されているテムノトラックス・ロンギスピノススという奴隷アリについての研究である。サムライアリのほうは、子育てや身繕《みづくろ》いから巣の掃除まで、すべて奴隷アリに任せきりなのだが、それが反乱の芽を生むのである。

まずはサボタージュである。子育てをいい加減にやって、サムライアリの幼虫をちゃんと育たなくする。そして時に積極的に幼虫を殺す。時には文字どおり反乱を起こして、集団で主人のサムライアリに襲いかかるのである。

論文の中でパンミンゲル博士は疑問を呈《てい》する。進化生物学的に見て、この反乱行動は謎であると。たいていの場合、優勢なサムライアリの武力の前に、反乱は鎮圧されて奴隷たちは皆殺しになる。首尾よく逃げおおせた反乱アリがいたとしても、彼らにはもはや帰るべき巣もなければ、仕えるべき自分たちの女王もいない。自由を愛する叛逆《はんぎゃく》遺伝子は途絶えてしまって、世は従順な奴隷の遺伝子ばかりになることが予想されるのである。

しかし、と著者たちは言う。「血縁選択説」を取り入れて考えれば謎は解決する、と。

　それはこういうことである。反逆精神の旺盛《おうせい》な奴隷アリの種族がいていくつもの巣をもっているとする。ある割合で巣はサムライアリに襲われて、そこの子供たちは奴隷になるが、自由を愛する気質のおかげで始終反乱を起こす。反乱に悩まされるサムライアリの戦力は削《そ》がれ、襲われずに済んで生き残る巣が多くなるだろう。つまり反乱者は勇敢にも自らの命を捨てることで、一族の絶滅を防ぐ。それが間接的に、自分が一族とともに分有する革命的遺伝子の維持につながるのである。

　この説を傍証《ぼうしょう》するために、著者たちはいくつかの異なった場所で調査を行なった。すると奴隷アリの反乱の頻度《ひんど》と、襲われずに残った巣の割合に、血縁選択理論どおりの見事な相関《そうかん》が見られたのである。

　アリに心があるのか、それは依然として不明である。しかしアリも人間と同じく自由を愛し、そのために命さえ投げ出すのである。

「アリに革命があるか」問題を持ち出したわが院生の中村君は生粋《きっすい》の土佐《とさ》人である。彼の疑問には、いかにも高知らしい反骨精神や自由民権思想が、中江兆民《ちょうみん》や板垣退助《いたがきたいすけ》の魂が宿っていたのかもしれない。

第**20**夜

アリと自由

＊＊＊＊＊＊
第21夜
＊＊＊＊＊＊

銀河を渡る蝶

安西冬衛《あんざいふゆえ》に次の一行詩がある。

てふてふが一匹韃靼《だったん》海峡を渡つて行つた

一読して忘れがたい極北の幻想風景である。ところが現実は詩人の霊感よりさらに奇である。おそらくは彼は、モナーク蝶《ちょう》の話を聞き及んではいなかったのだろう。カナダからメキシコまでを渡って生きる大型の蝶のことである。

この蝶の生態に関して信じがたいところは、渡りが世代を継《つ》いで行なわれることである。北の大地に生まれたモナーク蝶は、晩夏になると数百羽数千羽の群れをなして南を目指す。秋風に波立つ五大湖を越え、果てしないプレーリーを越え、メキシコ湾を越え、サボテンの茂るサポテカを越えて総計4000㎞を、蝶の生涯のほとんどにあたる一月ほどかけて渡った末、メキシコ西南部ミチョアカンの山里に達して産卵を行なう（高知から東京までの5倍である！）。そしてこの地で生まれた次の世代が、さなぎになり越冬して、春の訪れとともに今度は涼《すず》やかな北の草原を目指す。なんらかの困難があるのか、この北帰行《ほっきこう》は実に3世代をかけて行なわれる。アメリカ合衆国で途中2回産卵し、その数を半分に減らしながらカナダの祖先の地に戻るのは、南へ向かった蝶たちの曽孫《ひまご》の世代なのである。

現実の事象の偶発的な時間順序を無視すれば、こう言うこともできるだろう。安西冬衛が夢幻の中で予感した「海峡を渡る蝶」という観念が、何十万年を遡《さかのぼ》ってアメリカの地で、一匹の蝶の冒険心を呼び起こし、世代を超えて大陸を渡る蝶という姿に具現化したのだ、と。

そもそも蝶は、近所を飛び回るだけのために、あんな大きな華麗な翅《はね》をもって生まれたのだろうか。

昆虫が翅を得たのは、当面の生存競争の中で、偶然の変異で生じた小さな翅の優位が、進化的に累積《るいせき》したのであろう。しかし結果から見てこれを、こう言い換えることも許されるだろう。蝶が翅を得たのは、彼らの誕生した小さな生息圏から、大地の様々な障壁を越え海峡を越えて、地球全体に広がるためである、と。

翻《ひるがえ》って思えば、人間が知性を得たのは何のためであろうか。人間が文明社会を作り、科学を育《はぐく》んだのは何のためであろうか。当面の人間内部の生存競争での優位のためであることは間違いない。科学を育んだ人間は近代産業を起こし、大気を二酸化炭素で満たし、地球の気候さえ変えようとしている。それでも科学は発展を続け、人類は数を増し続け、地上の有用資源をすべて食いつくさんばかりである。若人《わこうど》の冒険心を満足させるような未知の場所が地上のどこに残っているだろうか。地球はあと何年人類の生存を支え続けることができるのだろうか。

タヒチの画家ゴーギャンに倣《なら》って、これを次のように言い換えるとどうだろうか。

我々は何処《どこ》から来たのか。

第**21**夜

銀河を渡る蝶

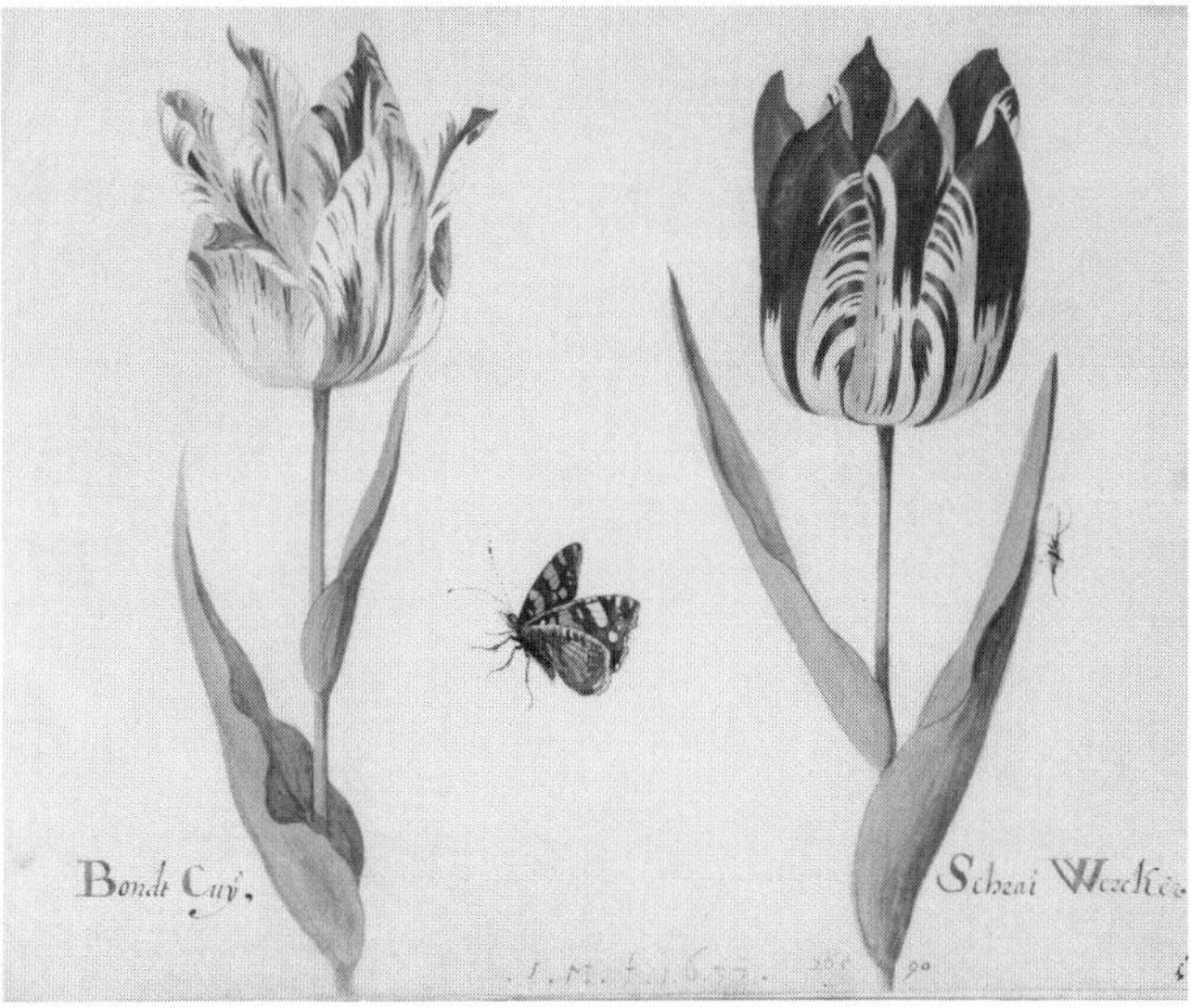

我々は誰であるのか。
我々は何処に向かうのか。

文明を発展させた知的生命体は、空間的に何処まで広がるのだろうか。天の川銀河の辺境に興《おこ》った人類の文明の継続期間は高々一万年である。しかし、広い宇宙には二兆ほどの銀河があり、各々の銀河には数十億の恒星《こうせい》があり、その何割かは惑星をもつと考えられる。そのような惑星の極小ながらある一部に知的生命体が誕生し、それが数万年、数十万年、さらには数百万年に亘《わた》って継続していると予想するのは、よく考えると、そういうものが存在しないとの予想に比べ、ずっと自然な推測なのである。

ある惑星で十万年続いた文明は、おそらくは、太陽を共有する他の惑星にまで広がっているだろう。そして数十万年続いた文明は、おそらくは、他の恒星系にまで広がるだろう。近隣の恒星系に達した知的生命体の文明は、より遠くの恒星系に、銀河全体に広がろうとするだろう。

そのとき立ちはだかるのが光速の壁である。現在想定できる技術では宇宙船を光速の1／100で飛ばすことが可能とされ、これだと銀河の端から端までの往復には、約200万年の年月が必要である。一番近い星プロキシマ・ケンタウリでさえ400年かかるので、それには世代を継いでの飛行が必要となるだろう。しかし知性をもった生命が、そのような時間と虚空の壁に怯《ひる》むとは思われない。翅を生んだ遺伝子プログラムの論理的帰結が、韃靼海峡を渡る蝶だとすれば、知性を生んだ遺伝子プログラムの論理的帰結が、銀河を渡る人間なのかもしれない。

地球上の生命が、そもそも宇宙に起源をもつという説も根強いのである。

地球外の謎の電波源CTA－102を研究していたロシアの天文学者ニコライ・カルダシェフは、1962年の論文において、電波が地球外文明からの信号だという説を唱えた。この説自体はその後否定され、CTA－102の正体は活動銀河核と判明した。しかし宇宙が知的文明で満ちているというカルダシェフの確信は揺《ゆ》らぐことはなかった。地球外知的生命体探査の権威となったカルダシェフは、宇宙に存在しうるすべての文明を、消費するエネルギー量に基づいて、三段階に分類している。

タイプ1文明は、一つの惑星全体のエネルギーを使い尽くす
タイプ2文明は、一つの恒星系全体のエネルギーを使い尽くす
タイプ3文明は、一つの銀河全体のエネルギーを使い尽くす

カルダシェフの計算では、現代の人類の文明はタイプ1の完成段階までの指数が0・71なのだという。安西冬衛の幻視した、極寒の海峡を渡る蝶々は、星屑《ほしくず》に泡立つ天の海原《うなばら》を渡る人間の姿の暗喩《あんゆ》であったと、幾十万年後の人々には思えるのではないだろうか。

第**21**夜

銀河を渡る蝶

＊＊＊＊＊＊
第22夜
＊＊＊＊＊＊

渡り鳥を率いて

世紀の変わり目西暦2001年の年の暮れ、抜けるような青空と純白のビーチで知られるフロリダ州ペンサコラ郊外での出来事であった。住民たちは奇跡のような光景を目にした。北の空から、グライダー様の飛行体に率《ひき》いられた7羽の美しいアメリカシロヅルが、見事なV字の編隊で、町に隣接する自然保護区を目指して飛んできたのである。このようなシロヅルが冬ごとに渡ってきた、70年以上も昔の少年時代を憶《おも》い出す老人もいた。

町はずれの路傍《ろぼう》でジープをとめて道に立ち尽くした初老の紳士《しんし》が一人、溢《あふ》れる涙のまま空を見上げていた。彼の名はビル・スレイデン博士、渡り鳥を研究する動物学者である。まさにこれが彼のプロジェクト、「渡り鳥作戦」の記念すべき成功の日であった。シロヅルたちは2ヵ月前、早い冬の訪れたウィスコンシンの湿地公園をあとにしていた。軽飛行機に率《ひき》いられて、米大陸2千キロをはるばる南下してきたのである。グライダーのような軽飛行機を操《あやつ》っているのは、博士の友人、ウィリアム・リッシュマンである。

リッシュマンの少年時代の夢は空を飛ぶことであった。カナダ空軍に入ったものの、色盲《しきもう》が判明してパイロットの試験に落ちた。オンタリオの父の農場に帰った失意の彼は、夢を諦《あきら》めることができず、農場を手伝う傍《かたわ》らグライダーの操作を覚えた。超軽量の簡易式軽飛行機を飛ばせたジョン・ムーディーの話をききつけた彼は、さっそく自分のグライダーを独力で改造して、軽飛行機に仕立て上げた。

転機は映画館で訪れた。鴨《かも》の群れをボートが率いているシーンを見たのである。鳥たちに混じって飛行する少年時代の夢が蘇《よみがえ》った。モーターボートで可能ならば、モーターグライダーで鳥を率いることだってできるはずではないか！

1988年、リッシュマンはついに、12羽のカナダガモの編隊を率いて農場の上空を周回することができた。その様子を自ら撮影した映画で、彼の評判は徐々《じょじょ》に広まっていった。スレイデン博士に話が伝わったのは1992年のことである。

当時ビル・スレイデン博士は、アメリカのヴァージニア州エアリー鳥獣研究所で、絶滅危惧《きぐ》種のアメリカシロヅルの再生に取り組んでいた。かつて秋ごと春ごとの、北米の空の風物詩であったこの鶴も、今世紀になって急激に数を減らし、一時個体数が20を下るまでになっていた。彼の研究は壁につき当たっていた。ツルの人工孵化《ふか》には成功していた。しかし人間の育てた鳥は、親から道を教わる自然の鳥と違って、渡りの技を覚えない。そ

れで北アメリカの厳冬の環境に残されても、そこを生き抜くこともできない。一方フロリダの湖沼《こしょう》地帯に放ったアメリカシロヅルは、夏場の繁殖《はんしょく》期、他の鳥との生存競争に耐えるのが困難で、なかなか定着しないのであった。

スレイデン博士は、軽飛行機に率いられた鳥の編隊の話を聞くと、即座に膝《ひざ》を叩いた。この飛行青年に、シロヅルを率いて大陸を南北に渡ってもらおうではないか。

それから9年、最初はカナダガモ、ついで類縁種のハイイロヅルによるフィールドテストが繰り返された。特に難しかったのが、鳥が人に馴《な》れないままの状態を保ちつつ、飛行機に付き従うことを教えることだった。野性を失った鶴たちは、渡りの練習を何度も途中で放棄して、学校の校庭に降り立っては子供たちと交歓《こうかん》するのだった。本来決して人を寄せつけないこの気高い生き物が、餌《えさ》をねだって子供たちを追い回す姿を見て、スレイデン博士の目は曇《くも》るのだった。度重なる失敗を度重なる新機軸《しんきじく》で乗り越えて、2001年の晩秋がきた。リッシュマンとアメリカシロヅルによる、2ヵ月の本番飛行の時であった。

ペンサコラの路傍に立ち尽くしたスレイデン博士のすぐ真上を、美しい羽を誇るように広げて、リッシュマンとシロヅルの隊列が通ってゆく！

先頭を行くモーターグライダーから、飛行服にゴーグルのリッシュマンが手を振った。スレイデンを認めての挨拶《あいさつ》であろうか、シロヅルたちの一斉に啼《な》く声が野原一帯に響き渡った。

後日、なぜ鳥たちに渡りを教えたいと思ったのか、との新聞記者の質問に答えてリッシュマンは語っている。

人間は鳥から飛行を学んだのだから、飛べなくなった鳥に飛行を教えるのは、われわれの義務なのではないかと感じたんです。

古代アメリカの伝説によると、太陽が毎朝昇《のぼ》ってくるためには、人間の気高い行ないの奉納《ほうのう》が絶えず必要なのだという。リッシュマンやスレイデンのような人々の営《いとな》みも、あるいは地球が廻《まわ》り続けている理由の一つなのかもしれない。

第**22**夜

渡り鳥を率いて

参考文献

科学的発見の前線を調べるには、研究専門誌に掲載される論文を追うしかないが、あらゆる科学の分野が高度に専門化された現代では、仮にレオナルド・ダ・ヴィンチが蘇《よみがえ》ったとしても、これは不可能である。それら最新の研究の成果を取捨選択して、一般読者向けのわかりやすい言葉で発信している雑誌に、

■『ナショナル・ジオグラフィック』
■『日経サイエンス』

がある。両方ともアメリカの雑誌の翻訳を柱としているが、後者には日本版独自の記事もかなり含まれている。

宇宙に関してより深く知りたい読者は、サイエンス・コミュニケーションの古典、

■カール・セーガン著『ＣＯＳＭＯＳ』上・下、木村繁訳（朝日選書、２０１３年）

にあたられるのがよい。より新しい発見までカヴァーしたものとしては、

■須藤靖著『この空のかなた』（亜紀書房、２０１８年）

がわかりやすい。

原子世界の探求を、その時代背景とともに物語仕立てにしたものに、

■マンジット・クマール著『量子革命——アインシュタインとボーア、偉大なる頭脳の激突』青木薫訳（新潮文庫、2017年）

がある。

数理的社会学、そして数理的な倫理学や言語学といった話題は、まだ新しいせいか、よくまとまった日本語の入門書が筆者には見当たらなかったが、いくつかの題材について、次のような本が参考になるだろう。

■ダンカン・ワッツ著『スモールワールド・ネットワーク——世界をつなぐ「6次」の科学』辻竜平、友知政樹訳（ちくま学芸文庫、2016年）

■ガイ・ドイッチャー著『言語が違えば、世界も違って見えるわけ』椋田直子訳、（インターシフト、2012年）

生物学全般についての入門書としては、

■鷲谷いづみ監修、森誠、江原宏編『ライフサイエンスのための生物学』（培風館、2015年）

がよい。アリの社会については、

■バート・ヘルドブラー、エドワード・O・ウィルソン著『ハキリアリ——農業を営む奇跡の生物』梶山あゆみ訳（飛鳥新社、2012年）

が詳しく示唆に富む。

出典

各編扉の吉田一穂の詩は、『吉田一穂詩集』現代詩文庫1034(思潮社、1989年)より引用。
Epigraph: Kahril Gibran, Sand and Foam, (Alfred A. Knopf, 1926).
第1夜 C. T. Scrutton and R. G. Hipkin, "Long-term changes in the rotation rate of the Earth", Earth-Sci. Rev. 9 (1973) 259-274.
F. Nietzsche, Also sprach Zarathustra: Ein Buch für Alle und Keinen, (Ernst Schmeitzner, 1883).
第2夜 A. E. Rubin and J. N. Grossman, "Meteorite and meteoroid: New comprehensive definitions", Meteor. Planet. Sci. 45 (2010) 114–122.
M. Davis, P. Hut, and R. Muller, "Extinction of species by periodic comet showers", Nature 308, (1984) 715–717.
第3夜 S. Gillessen, F. Eisenhauer, S. Trippe, T. Alexander, R. Genzel, F. Martins and T. Ott, "Monitoring stellar orbits around the massive black hole in the galactic center". Astrophys. J. 692 (2009) 1075–1109.
R. M. Wald, Space, Time, and Gravity: The theory of the Big Bang and black holes, (University of Chicago Press, 1992).
第4夜 J.-L. Lagrange, "Essai sur le problème des trois corps", Prix de l' académie royale des sciences de Paris, tome IX, 1772.
第5夜 F. J. Jervis-Smith, Evangelista Torricelli, (Oxford University Press, 1908).
B. Pascal, Pensées, (Éditions Rencontre, 1960).
第6夜 P. Fournier and F. Fournier, "Hasard ou mémoire dans la découverte de la radioactivité", Revue de l' histoire des sciences 52 (1999) 51–80.
第7夜 初出:全卓樹、高知新聞「所感雑感」H30.8.6
R. Rhodes, Making of atomic bomb, (Simon & Schuster, 1987).
第8夜 H. Everett, "Relative state formulation of quantum mechanics", Rev. Mod. Phys. 29 (1957) 454–462.
第9夜 Z. Wang, B. Xu and H.-J. Zhou, "Social cycling and conditional responses in the Rock-Paper-Scissors game", Sci. Rep. 4 (2015) 5830(7pp).
服部哲弥, 統計と確率の基礎, (学術図書, 2006).
第10夜 S. Brin and L. Page, "The anatomy of a large-scale hypertextual Web search engine", Comp. Net. ISDN Sys. 30 (1998) 107–117.
第11夜 M. J. Salganik, P. S. Dodds and D. J. Watts, "Experimental study of inequality and unpredictability in an artificial cultural market", Science 311 (2006) 854–856.
第12夜 D. Austen-Smith and J. S. Banks, "Information aggregation, rationality, and the Condorcet Jury Theorem", Amer. Polit. Sci. Rev. 90 (1996) 34–45.
第13夜 S. Galam, Sociophysics: A physicist' s modeling of psycho-political phenomena, (Springer, 2012).
T. Cheon and S. Galam, "Dynamical Galam model", Phys. Lett. A 382 (2018) 1509–1515.
第14夜 T. Horikawa, M. Tamaki, Y. Miyawaki and Y. Kamitani, "Neural decoding of visual imagery during sleep", Science 340 (2013) 639–642.
第15夜 C. Everett, Linguistic relativity, (Walter de Gruyter, 2013).
S. Salminen and A. Johansson, "Occupational accidents of finnish- and swedish-speaking workers in Finland: A mental model view", Int. J. Occup. Safe. Ergon. 6 (2000) 293–306.
第16夜 E. Awad, S. Dsouza, R. Kim, J. Schulz, J. Henrich, A. Shariff, J.-F. Bonnefon and I. Rahwan, "The Moral Machine experiment", Nature 562 (2018) 59–64.

第17夜 R. L. Canfield (ed.), Turko-Persia in historical perspective, (Cambridge University Press, 1991).

第18夜 C. Burns (ed.), The Moth: This is a true story, (Serpent' s Tail, 2015).

第19夜 B. Hölldobler and E. O. Wilson, The Ants, (Harvard University Press, 1990).

第20夜 T. Pamminger, S. Foitzik, D. Metzler and P. S. Pennings, "Oh sister, where art thou? Spatial population structure and the evolution of an altruistic defence trait", J. Evol. Biol. 27 (2014) 2443–2456.

第21夜 A. Agrawal, Monarchs and Milkweed: A migrating butterfly, a poisonous plant, and their remarkable story of coevolution, (Princeton University Press, 2017).
N. S. Kardashev, "Transmission of information by extraterrestrial civilizations", Soviet Astronomy 8 (1964) 217–221.

第22夜 P. Hermes, Fly Away Home: The novelization and story behind the film, (New market, 2005).

図版一覧

表紙 George F. Chambers, A handbook of descriptive and practical astronomy, v.2, (Clarendon press, 1889-90) 106. (L)
Lottery advertisements, from Alexander Anderson scrapbooks. (N)

本扉 "Astronomy: a large refracting telescope, in a specially constructed observatory". Wood engraving, 1881. (W)

p. 9 M. C. Wyatt, "Astronomy a meteor in the night sky over London" (1850). (W)

p. 13 Galileo Galilei, Sidereus nuncius, (1610) 24.（ガリレオ・ガリレイ『星界の報告』）(I)

p. 19 Trouvelot, E. L. "The great comet of 1881". (N)

p. 23 Asa Smith, Smith's illustrated astronomy, (Cady & Burgess, 1849) 1. (S)

p. 27 "the Great Melbourne Telescope, in use outdoors", lith. after H. Grubb. (W)

p. 34 Alexander Jamieson, A celestial atlas, (G. & W. B. Whittaker, 1822) Plate XX. (L)

p. 39 The surface of the moon. Day & son, lith. (W)

p. 42 "North American Hotel, New York" (1832). (M)

p. 43 William Crookes, On Radiant Matter, (1879) p. 13, fig. 7. HathiTrust.

p. 46 Christiaan Wilhelmus Moorrees, "Twee vrouwen bij een waterpomp" (1811–67). (R)

p. 50 Étienne Neurdein, "Le Temple de Mercure et l'Observatoire" (1870–1900). (R)

p. 54 W. H. F. Talbot, "1. Foglia di Fico. 2. Foglia di Spino bianco, ossia Crataegus" (1839–40). (M)

p. 59 "This is how uranium… gives up energy in an atomic reactor…" (c. 1964). (U)

p. 60 "Albert Einstein and Leo Szilard with letter dated August 2, 1939 to President Franklin D. Roosevelt." (U)

p. 62 Berlyn Brixner, Los Alamos National Laboratory, "Trinity Site explosion, 0.016 second after explosion, July 16, 1945". Wikimedia Commons.

p. 69 A. M. Worthington, The Splash of a Drop. (S.P.C.K., 1895) 74. (I)

p. 72 Hans Vredeman de Vries, "Tuin met een centrale parterre in de vorm van een spiraal" (c.1635–40). (R)

p. 73 Art Young, "The haunted house" (1907). Library of Congress.

p. 77 Anonymous, after Esteban Murillo, "Fotoreproductie van (vermoedelijk) een schilderij van Esteban Murillo, voorstellend dobbelende kinderen." (1894). (R)

p. 85 Henri Verstijnen, "Pauw in een landschap" (1892–1940). (R)

W. H. Beard (paint), Saml. Holye (engrave), "Flaw in the title" (c. 1871). Library of Congress.

p. 88 Anonymous, "Twee mannenkoppen, in ovale omlijsting" (1700–99). (R)

p. 91 Art Young, Through hell with Hiprah Hunt, (Zimmerman's, 1901) 41. (I)

p. 99 A. C. Doyle, The Adventures of Sherlock Holmes, (G. Newnes, 1892) 107. (B)

p. 101 Antonio Tempesta, "Zittende aap" (1565–1630). (R)

p. 103 Thomas Monck Mason, Aeronautica, (F.C. Westley, 1838) 72. (L)

p. 107 Jean Siméon Chardin, "Retrato de Auguste Gabriel Godefroy" (1741).

p. 111 Bonfils, "Markt met handelaren en bezoekers in Jaffa" (c.1867–95). (R)

p. 114 A postcard illustrating a variety of good luck charms. Chromolithograph. (W)

p. 115 C. Flammarion, L'atmosphère: météorologie populaire, (1888) 163.

p. 119 Odilon Redon, "Vision" plate eight from In Dreams (1879). (C)

p. 123 H. H. Bancroft, The Native Races of the Pacific States of North America, (Appleton, 1875–76) 353. (I)

p. 133 阿部伸二(カレラ)

p. 127 S. Christoph, Disquisitiones mathematicae de controversiis et novitatibus astronomicis, (1614) 63. (L)

p. 130 W. Homer, "Watch-Tower, Corner of Spring and Varick Streets, New York" (1874). (C)

p. 141 Jo Spier, "If you dislike Gambling, Schlumberger". Stedelijk Museum Zutphen.

p. 145 Farid ud-Din Attar, The Conference of the Birds, (ca. 1600) Folio 11r. (M)

p. 148 Maxime Du Camp, "Tombeau des Sultans Mamelouks, au Kaire" (1849–1850). (M)

p. 149 "A hot-air balloon flies over a park with marquees and bunting where crowds of people are gathered", Coloured lithograph. (W)

p. 153 Edwin Levick, "An excellent view of the front facade of the Immigration Station; a boat is docked in front." and "Passed and waiting to be taken off Ellis Island." (1902–12). (N)

p. 154 Peter Vilhelm Ilsted, "Meisje aan een halfronde tafel" (1909). (R)

p. 158 H. C. McCook, Ant communities and how they are governed, (H. & B., 1909) 233. (I)

p. 159 Ibid, 151. (I)

p. 163 D. Mantuana, after G. Romano, "Menelaus met het lichaam van Patroclus" (c.1557–c.1612). (R)

p. 165 J. G. Wood, Insects abroad, (Longmans, Green, 1883) 428. (I)

p. 167 Christoffel van den Berghe, "A Rose and Five Insects" (1618). (R)

p. 171 Anonymous,"internationalisme tegenover Nationaal-socialisme" (1933–35). (R)

p. 175 Jacob Marrel, "Twee tulpen met atalanta en krekel" (1637). (R)

p. 179 McDonnell Douglas, "Pioneer Galileo mission trajectory artwork" (1977). NASA.

p. 182 "Whooping Crane Ultralight Migration" (2012). U.S. Fish and Wildlife Service.

p. 185 "Orville Wrights Test His Glider at Kitty Hawk, NC." (October 24, 1911). NASA.

Images courtesy of :

(B) = British Library / (C) = Art Institute of Chicago / (I) = Internet Archive

(L) = Linda Hall Library of Science, Engineering & Technology

(M) = Metropolitan Museum of Art / (N) = New York Public Library

(R) = Rijksmuseum / (S) = Smithsonian Libraries / (U) = U.S. Department of Energy

(W) = Wellcome Collection

全卓樹（ぜん・たくじゅ）
京都生まれの東京育ち、米国ワシントンが第三の故郷。東京大学理学部物理学科卒、東京大学理学系大学院物理学専攻博士課程修了、博士論文は原子核反応の微視的理論についての研究。専攻は量子力学、数理物理学、社会物理学。量子グラフ理論本舗／新奇量子ホロノミ理論本家。ミシガン州立大、ジョージア大、メリランド大、法政大等を経て、現在高知工科大学理論物理学教授、高知工科大学図書館長。著書に『エキゾティックな量子』（東京大学出版会）、『渡り鳥たちが語る科学夜話』（朝日出版社）などがある。

銀河の片隅で科学夜話
――物理学者が語る、すばらしく不思議で
美しいこの世界の小さな驚異

2020年 2 月 10 日　初版第 1 刷発行
2024年 5 月 21 日　初版第 10 刷発行

著　者　全卓樹
装　幀　佐々木暁
装　画　Rob Gonsalves
挿画(p. 133)　阿部伸二（カレラ）
編集担当　大槻美和（朝日出版社第 2 編集部）
発 行 者　原雅久
発 行 所　株式会社朝日出版社
〒101-0065　東京都千代田区西神田 3-3-5
TEL. 03-3263-3321 / FAX. 03-5226-9599
http://www.asahipress.com
印刷・製本　TOPPAN 株式会社

ISBN978-4-255-01167-7　C0095